biblioteca
**eduardo galeano**

# EDUARDO GALEANO
# EL FÚTBOL
## A SOL Y SOMBRA

siglo veintiuno
editores

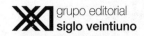 grupo editorial
**siglo veintiuno**

**siglo xxi editores, méxico**
CERRO DEL AGUA 248, ROMERO DE TERREROS, 04310 MÉXICO, DF
www.sigloxxieditores.com.mx

**siglo xxi editores, argentina**
GUATEMALA 4824, C1425BUP, BUENOS AIRES, ARGENTINA
www.sigloxxieditores.com.ar

**anthropos editorial**
LEPANT 241-243, 08013 BARCELONA, ESPAÑA
www.anthropos-editorial.com

GV942.5
G35
2015    Galeano, Eduardo
            *El fútbol a luz y sombra* / Eduardo Galeano. --
        Quinta edición. — México, D. F. : Siglo XXI Editores,
        2015.

            312 p. — (Biblioteca Eduardo Galeano)
            ISBN-13: 978-607-03-0661-7

        1. Fútbol – Historia.   2. Fútbol – Anécdotas.   3. Fútbol –
        Aspectos sociales. I. t.   II. ser

ilustración de portada: cerámica de zé caboclo, de pernambuco, brasil

primera edición, 1995
primera reimpresión, 1995
segunda edición aumentada, 1998
primera reimpresión, 2000
tercera edición aumentada, 2004
tercera reimpresión, 2006
cuarta edición aumentada, 2008
tercera reimpresión, 2014
quinta edición, 2015
primera reimpresión, 2016
*incluye un capítulo sobre el mundial de futbol brasil 2014*

© eduardo galeano
© siglo xxi editores, s.a. de c.v.

isbn 978-607-03-0661-7

derechos reservados conforme a la ley
impreso en litográfica ingramex, s.a. de c.v.
centeno 162-1, col. granjas esmeralda
09810 méxico, d.f.
enero de 2016

Las páginas que siguen están dedicadas a aquellos niños que una vez, hace años, se cruzaron conmigo en Calella de la Costa. Venían de jugar al fútbol, y cantaban:

*Ganamos, perdimos,*
*igual nos divertimos.*

Este libro debe mucho al entusiasmo y la paciencia del *Pepe* Barrientos, *Manolo* Epelbaum, Ezequiel Fernández-Moores, Karl Hübener, Franklin Morales, Ángel Ruocco y Klaus Schuster, que leyeron los borradores, corrigieron disparates y aportaron ideas y datos valiosos. Fueron también de gran ayuda el ojo crítico de mi mujer, Helena Villagra, y la memoria futbolera de mi padre, *el Bebe* Hughes. Mi hijo Claudio y algunos amigos, o amigos de mis amigos, pusieron el hombro arrimando libros y periódicos o respondiendo consultas: Hugo Alfaro, *Zé* Fernando Balbi, Chico Buarque, Nicolás Buenaventura Vidal, Manuel Cabieses, Jorge Consuegra, Pierre Charasse, Julián García-Candau, José González Ortega, *Pancho* Graells, Jens Lohmann, Daniel López D'Alesandro, Sixto Martínez, Juan Manuel Martín Medem, Gianni Minà, Dámaso Murúa, Felipe Nepomuceno, *el Migue* Nieto-Solís, Luis Niño, Luis Ocampos Alonso, Carlos Ossa, Norberto Pérez, Silvia Peyrou, Miguel Ángel Ramírez, Alastair Read, Alfonso Romano de Sant'Anna, Pilar Royo, Rosa Salgado, Giuseppe Smorto y Jorge Valdano. Osvaldo Soriano participó como escritor invitado.

Yo debería decir que todos ellos son inocentes del resultado, pero la verdad es que creo que bastante culpa tienen, por haberse metido en este lío.

# Confesión del autor

Como todos los uruguayos, quise ser jugador de fútbol. Yo jugaba muy bien, era una maravilla, pero sólo de noche, mientras dormía: durante el día era el peor pata de palo que se ha visto en los campitos de mi país. Como hincha, también dejaba mucho que desear. Juan Alberto Schiaffino y Julio César Abbadie jugaban en Peñarol, el cuadro enemigo. Como buen hincha de Nacional, yo hacía todo lo posible por odiarlos. Pero *el Pepe* Schiaffino, con sus pases magistrales, armaba el juego de su equipo como si estuviera viendo la cancha desde lo más alto de la torre del estadio, y el Pardo Abbadie deslizaba la pelota sobre la línea blanca de la orilla y corría con botas de siete leguas, hamacándose sin rozar la pelota ni tocar a los rivales: yo no tenía más remedio que admirarlos, y hasta me daban ganas de aplaudirlos.

Han pasado los años, y a la larga he terminado por asumir mi identidad: yo no soy más que un mendigo de buen fútbol. Voy por el mundo sombrero en mano, y en los estadios suplico:

—*Una linda jugadita, por amor de Dios.*

Y cuando el buen fútbol ocurre, agradezco el milagro sin que me importe un rábano cuál es el club o el país que me lo ofrece.

⚽ ⚽ ⚽ ⚽ ⚽ ⚽ ⚽ ⚽ ⚽ ⚽ ⚽ ⚽ ⚽ 1

# El fútbol

L a historia del fútbol es un triste viaje del placer al deber. A
medida que el deporte se ha hecho industria, ha ido deste-
rrando la belleza que nace de la alegría de jugar porque sí.
En este mundo del fin de siglo, el fútbol profesional condena lo
que es inútil, y es inútil lo que no es rentable. A nadie da de ganar
esa locura que hace que el hombre sea niño por un rato, jugando
como juega el niño con el globo y como juega el gato con el ovillo
de lana: bailarín que danza con una pelota leve como el globo que
se va al aire y el ovillo que rueda, jugando sin saber que juega, sin
motivo y sin reloj y sin juez.

El juego se ha convertido en espectáculo, con pocos protagonistas y muchos espectadores, fútbol para mirar, y el espectáculo
se ha convertido en uno de los negocios más lucrativos del mundo, que no se organiza para jugar sino para impedir que se juegue.
La tecnocracia del deporte profesional ha ido imponiendo un
fútbol de pura velocidad y mucha fuerza, que renuncia a la alegría, atrofia la fantasía y prohíbe la osadía.

Por suerte todavía aparece en las canchas, aunque sea muy de
vez en cuando, algún descarado carasucia que se sale del libreto y
comete el disparate de gambetear a todo el equipo rival, y al juez,
y al público de las tribunas, por el puro goce del cuerpo que se
lanza a la prohibida aventura de la libertad.

# El jugador

Corre, jadeando, por la orilla. A un lado lo esperan los cielos de la gloria; al otro, los abismos de la ruina.

El barrio lo envidia: el jugador profesional se ha salvado de la fábrica o de la oficina, le pagan por divertirse, se sacó la lotería. Y aunque tenga que sudar como una regadera, sin derecho a cansarse ni a equivocarse, él sale en los diarios y en la tele, las radios dicen su nombre, las mujeres suspiran por él y los niños quieren imitarlo. Pero él, que había empezado jugando por el placer de jugar, en las calles de tierra de los suburbios, ahora juega en los estadios por el deber de trabajar y tiene la obligación de ganar o ganar.

Los empresarios lo compran, lo venden, lo prestan; y él se deja llevar a cambio de la promesa de más fama y más dinero. Cuanto más éxito tiene y más dinero gana, más preso está. Sometido a disciplina militar, sufre cada día el castigo de los entrenamientos feroces y se somete a los bombardeos de analgésicos y las infiltraciones de cortisona que olvidan el dolor y mienten la salud. Y en las vísperas de los partidos importantes, lo encierran en un campo de concentración donde cumple trabajos forzados, come comidas bobas, se emborracha con agua y duerme solo.

En los otros oficios humanos, el ocaso llega con la vejez, pero el jugador de fútbol puede ser viejo a los treinta años. Los músculos se cansan temprano:

—*Éste no hace un gol ni con la cancha en bajada.*

—*¿Éste? Ni aunque le aten las manos al arquero.*

O antes de los treinta, si un pelotazo lo desmaya de mala manera, o la mala suerte le revienta un músculo, o una patada le rompe un hueso de esos que no tienen arreglo. Y algún mal día el jugador descubre que se ha jugado la vida a una sola baraja y que el dinero se ha volado y la fama también. La fama, señora fugaz, no le ha dejado ni una cartita de consuelo.

## El arquero

También lo llaman portero, guardameta, golero, cancerbero o guardavallas, pero bien podría ser llamado mártir, paganini, penitente o payaso de las bofetadas. Dicen que, donde él pisa, nunca más crece el césped.

Es un solo. Está condenado a mirar el partido de lejos. Sin moverse de la meta aguarda a solas, entre los tres palos, su fusilamiento. Antes vestía de negro, como el árbitro. Ahora el árbitro ya no está disfrazado de cuervo y el arquero consuela su soledad con fantasías de colores.

Él no hace goles. Está allí para impedir que se hagan. El gol, fiesta del fútbol: el goleador hace alegrías y el guardameta, el aguafiestas, las deshace.

Lleva a la espalda el número uno. ¿Primero en cobrar? Primero en pagar. El portero siempre tiene la culpa. Y si no la tiene, paga lo mismo. Cuando un jugador cualquiera comete un penal, el castigado es él: allí lo dejan, abandonado ante su verdugo, en la inmensidad de la valla vacía. Y cuando el equipo tiene una mala tarde, es él quien paga el pato, bajo una lluvia de pelotazos, expiando los pecados ajenos.

Los demás jugadores pueden equivocarse feo una vez o muchas veces, pero se redimen mediante una finta espectacular, un pase magistral, un disparo certero: él no. La multitud no perdona al arquero. ¿Salió en falso? ¿Hizo el sapo? ¿Se le resbaló la pelota? ¿Fueron de seda los dedos de acero? Con una sola pifia, el guardameta arruina un partido o pierde un campeonato, y entonces el público olvida súbitamente todas sus hazañas y lo condena a la desgracia eterna. Hasta el fin de sus días lo perseguirá la maldición.

# El ídolo

Y un buen día la diosa del viento besa el pie del hombre, el maltratado, el despreciado pie, y de ese beso nace el ídolo del fútbol. Nace en cuna de paja y choza de lata y viene al mundo abrazado a una pelota.

Desde que aprende a caminar, sabe jugar. En sus años tempranos alegra los potreros, juega que te juega en los andurriales de los suburbios hasta que cae la noche y ya no se ve la pelota, y en sus años mozos vuela y hace volar en los estadios. Sus artes malabares convocan multitudes, domingo tras domingo, de victoria en victoria, de ovación en ovación.

La pelota lo busca, lo reconoce, lo necesita. En el pecho de su pie, ella descansa y se hamaca. Él le saca lustre y la hace hablar, y en esa charla de dos conversan millones de mudos. Los nadies, los condenados a ser por siempre nadies, pueden sentirse álguienes por un rato, por obra y gracia de esos pases devueltos al toque, esas gambetas que dibujan zetas en el césped, esos golazos de taquito o de chilena: cuando juega él, el cuadro tiene doce jugadores.

—*¿Doce? ¡Quince tiene! ¡Veinte!*

La pelota ríe, radiante, en el aire. Él la baja, la duerme, la piropea, la baila, y viendo esas cosas jamás vistas sus adoradores sienten piedad por sus nietos aún no nacidos, que no las verán.

Pero el ídolo es ídolo por un rato nomás, humana eternidad, cosa de nada; y cuando al pie de oro le llega la hora de la mala pata, la estrella ha concluido su viaje desde el fulgor hasta el apagón. Está ese cuerpo con más remiendos que traje de payaso y ya el acróbata es un paralítico, el artista una bestia:

—*¡Con la herradura no!*

La fuente de la felicidad pública se convierte en el pararrayos del público rencor:

—*¡Momia!*

A veces el ídolo no cae entero. Y a veces, cuando se rompe, la gente le devora los pedazos.

# El hincha

Una vez por semana, el hincha huye de su casa y acude al estadio. Flamean las banderas, suenan las matracas, los cohetes, los tambores, llueven las serpentinas y el papel picado: la ciudad desaparece, la rutina se olvida, sólo existe el templo. En este espacio sagrado, la única religión que no tiene ateos exhibe a sus divinidades. Aunque el hincha puede contemplar el milagro, más cómodamente, en la pantalla de la tele, prefiere emprender la peregrinación hacia este lugar donde puede ver en carne y hueso a sus ángeles batiéndose a duelo contra los demonios de turno.

Aquí, el hincha agita el pañuelo, traga saliva, glup, traga veneno, se come la gorra, susurra plegarias y maldiciones y de pronto se rompe la garganta en una ovación y salta como pulga abrazando al desconocido que grita el gol a su lado. Mientras dura la misa pagana, el hincha es muchos. Con miles de devotos comparte la certeza de que somos los mejores, todos los árbitros están vendidos, todos los rivales son tramposos.

Rara vez el hincha dice: «Hoy juega mi club». Más bien dice: «Hoy jugamos nosotros». Bien sabe este *jugador número doce* que es él quien sopla los vientos de fervor que empujan la pelota cuando ella se duerme, como bien saben los otros once jugadores que jugar sin hinchada es como bailar sin música.

Cuando el partido concluye, el hincha, que no se ha movido de la tribuna, celebra *su* victoria, *qué goleada les hicimos, qué paliza les dimos,* o llora *su* derrota, *otra vez nos estafaron, juez ladrón.* Y entonces el sol se va y el hincha se va. Caen las sombras sobre el estadio que se vacía. En las gradas de cemento arden, aquí y allá, algunas hogueras de fuego fugaz, mientras se van apagando las luces y las voces. El estadio se queda solo y también el hincha regresa a su soledad, yo que ha sido nosotros: el hincha se aleja, se dispersa, se pierde, y el domingo es melancólico como un miércoles de cenizas después de la muerte del carnaval.

# El fanático

E l fanático es el hincha en el manicomio. La manía de negar la evidencia ha terminado por echar a pique a la razón y a cuanta cosa se le parezca, y a la deriva navegan los restos del naufragio en estas aguas hirvientes, siempre alborotadas por la furia sin tregua.

El fanático llega al estadio envuelto en la bandera del club, la cara pintada con los colores de la adorada camiseta, erizado de objetos estridentes y contundentes, y ya por el camino viene armando mucho ruido y mucho lío. Nunca viene solo. Metido en la barra brava, peligroso ciempiés, el humillado se hace humillante y da miedo el miedoso. La omnipotencia del domingo conjura la vida obediente del resto de la semana, la cama sin deseo, el empleo sin vocación o el ningún empleo: liberado por un día, el fanático tiene mucho que vengar.

En estado de epilepsia mira el partido, pero no lo ve. Lo suyo es la tribuna. Ahí está su campo de batalla. La sola existencia del hincha de otro club constituye una provocación inadmisible. El Bien no es violento, pero el Mal lo obliga. El enemigo, siempre culpable, merece que le retuerzan el pescuezo. El fanático no puede distraerse, porque el enemigo acecha por todas partes. También está dentro del espectador callado, que en cualquier momento puede llegar a opinar que el rival está jugando correctamente, y entonces tendrá su merecido.

# El gol

El gol es el orgasmo del fútbol. Como el orgasmo, el gol es cada vez menos frecuente en la vida moderna.

Hace medio siglo, era raro que un partido terminara sin goles: 0 a 0, dos bocas abiertas, dos bostezos. Ahora, los once jugadores se pasan todo el partido colgados del travesaño, dedicados a evitar los goles y sin tiempo para hacerlos.

El entusiasmo que se desata cada vez que la bala blanca sacude la red, puede parecer misterio o locura, pero hay que tener en cuenta que el milagro se da poco. El gol, aunque sea un golcito, resulta siempre gooooooooooooooooooooool en la garganta de los relatores de radio, un do de pecho capaz de dejar a Caruso mudo para siempre, y la multitud delira y el estadio se olvida de que es de cemento y se desprende de la tierra y se va al aire.

# El árbitro

El árbitro es arbitrario por definición. Éste es el abominable tirano que ejerce su dictadura sin oposición posible y el ampuloso verdugo que ejecuta su poder absoluto con gestos de ópera. Silbato en boca, el árbitro sopla los vientos de la fatalidad del destino y otorga o anula los goles. Tarjeta en mano, alza los colores de la condenación: el amarillo, que castiga al pecador y lo obliga al arrepentimiento, y el rojo, que lo arroja al exilio.

Los jueces de línea, que ayudan pero no mandan, miran de afuera. Sólo el árbitro entra al campo de juego; y con toda razón se persigna al entrar, no bien se asoma ante la multitud que ruge. Su trabajo consiste en hacerse odiar. Única unanimidad del fútbol: todos lo odian. Lo silban siempre, jamás lo aplauden.

Nadie corre más que él. Él es el único que está obligado a correr todo el tiempo. Todo el tiempo galopa, deslomándose como un caballo, este intruso que jadea sin descanso entre los veintidós jugadores; y en recompensa de tanto sacrificio, la multitud aúlla

exigiendo su cabeza. Desde el principio hasta el fin de cada partido, sudando a mares, el árbitro está obligado a perseguir la blanca pelota que va y viene entre los pies ajenos. Es evidente que le encantaría jugar con ella, pero jamás esa gracia le ha sido otorgada. Cuando la pelota, por accidente, le golpea el cuerpo, todo el público recuerda a su madre. Y sin embargo, con tal de estar ahí, en el sagrado espacio verde donde la pelota rueda y vuela, él aguanta insultos, abucheos, pedradas y maldiciones.

A veces, raras veces, alguna decisión del árbitro coincide con la voluntad del hincha, pero ni así consigue probar su inocencia. Los derrotados pierden por él y los victoriosos ganan a pesar de él. Coartada de todos los errores, explicación de todas las desgracias, los hinchas tendrían que inventarlo si él no existiera. Cuanto más lo odian, más lo necesitan.

Durante más de un siglo, el árbitro vistió de luto. ¿Por quién? Por él. Ahora disimula con colores.

# El director técnico

Antes existía el entrenador, y nadie le prestaba mayor atención. El entrenador murió, calladito la boca, cuando el juego dejó de ser juego y el fútbol profesional necesitó una tecnocracia del orden. Entonces nació el director técnico, con la misión de evitar la improvisación, controlar la libertad y elevar al máximo el rendimiento de los jugadores, obligados a convertirse en disciplinados atletas.

El entrenador decía:

—*Vamos a jugar.*

El técnico dice:

—*Vamos a trabajar.*

Ahora se habla en números. El viaje desde la osadía hacia el miedo, historia del fútbol en el siglo veinte, es un tránsito desde el 2-3-5 hacia el 5-4-1, pasando por el 4-3-3 y el 4-4-2. Cualquier profano es capaz de traducir eso, con un poco de ayuda, pero después, no hay quien pueda. A partir de allí, el director técnico desarrolla fórmulas misteriosas como la sagrada concepción de Jesús, y con ellas elabora esquemas tácticos más indescifrables que la Santísima Trinidad.

Del viejo pizarrón a las pantallas electrónicas: ahora las jugadas magistrales se dibujan en computadora y se enseñan en video. Esas perfecciones rara vez se ven, después, en los partidos que la televisión trasmite. Más bien la televisión se complace exhibiendo la crispación en el rostro del técnico, y lo muestra mordiéndose los puños o gritando orientaciones que darían vuelta al partido si alguien pudiera entenderlas.

Los periodistas lo acribillan en la conferencia de prensa, cuando el encuentro termina. El técnico jamás cuenta el secreto de sus victorias, aunque formula admirables explicaciones de sus derrotas:

—*Las instrucciones eran claras, pero no fueron escuchadas* —dice, cuando el equipo pierde por goleada ante un cuadrito de morondanga. O ratifica la confianza en sí mismo, hablando en tercera persona más o menos así: «Los reveses sufridos no empañan la conquista de una claridad conceptual que el técnico ha caracterizado como una síntesis de muchos sacrificios necesarios para llegar a la eficacia».

La maquinaria del espectáculo tritura todo, todo dura poco, y el director técnico es tan desechable como cualquier otro producto de la sociedad de consumo. Hoy el público le grita:

—*¡No te mueras nunca!*

y el domingo que viene lo invita a morirse.

Él cree que el fútbol es una ciencia y la cancha un laboratorio, pero los dirigentes y la hinchada no sólo le exigen la genialidad de Einstein y la sutileza de Freud, sino también la capacidad milagrera de la Virgen de Lourdes y el aguante de Gandhi.

# El teatro

Los jugadores actúan, con las piernas, en una representación destinada a un público de miles o millones de fervorosos que a ella asisten, desde las tribunas o desde sus casas, con el alma en vilo. ¿Quién escribe la obra? ¿El director técnico? La obra se burla del autor. Su desarrollo sigue el rumbo del humor y de la habilidad de los actores y en definitiva depende de la suerte, que sopla, como el viento, donde quiere. Por eso el desenlace es siempre un misterio, para los espectadores y también para los protagonistas, salvo en casos de soborno o de alguna otra fatalidad del destino.

¿Cuántos teatros están metidos en el gran teatro del fútbol? ¿Cuántos escenarios caben dentro del rectángulo de pasto verde? No todos los jugadores actúan solamente con las piernas.

Hay actores magistrales en el arte de atormentar al prójimo: el jugador se pone la máscara del santo incapaz de matar una mosca y entonces escupe, insulta, empuja, arroja tierra a los ojos del contrario, le pega un certero codazo en el mentón, le hunde el codo en las costillas, le tironea el pelo o la camiseta, le pisa un pie cuando está parado o una mano cuando está caído, y todo lo hace a espaldas del árbitro y mientras el juez de línea contempla las nubes que pasan.

Hay actores memorables en el arte de sacar ventaja: el jugador se pone la máscara del pobre infeliz que parece imbécil pero es idiota y entonces, ventaja: ejecuta la falta, el tiro libre o el saque de costado varias leguas más allá del punto indicado por el árbitro. Y cuando le toca formar barrera, se desliza desde el lugar señalado, muy despacito, sin levantar los pies, hasta que la alfombra mágica lo deposita encima del jugador que va a patear la pelota. Hay actores insuperables en el arte de hacer tiempo: el jugador se pone la máscara del mártir que acaba de ser crucificado y entonces rueda en agonía, agarrándose la rodilla o la cabeza, y queda tendido en el césped. Pasan los minutos. A ritmo de tortuga acude el masajista, el manosanta, gordo traspiroso, oloroso a linimento, que trae la toalla al cuello, la cantimplora en una mano y en la otra mano alguna pócima infalible. Y pasan las horas y los años, hasta que el juez manda sacar del campo a ese cadáver. Y entonces, súbitamente, el jugador pega un salto, plop, y ocurre el milagro de la resurrección.

## Los especialistas

A ntes del partido, los cronistas formulan sus preguntas desconcertantes:

—*¿Dispuestos a ganar?*

Y obtienen respuestas asombrosas:

—*Haremos todo lo posible por obtener la victoria.*

Después, los relatores toman la palabra. Los de la tele acompañan las imágenes, pero bien saben que no pueden competir con ellas. Los de la radio, en cambio, no son aptos para cardíacos: estos maestros del suspenso corren más que los jugadores y más que la propia pelota, y a ritmo de vértigo relatan un partido que suele no tener mucha relación con el que uno está mirando. En esa catarata de palabras, pasa rozando el travesaño el disparo que uno ve rozando el alto cielo y corre inminente peligro de gol la meta donde la arañita está tejiendo su tela, de palo a palo, mientras el arquero bosteza.

Cuando concluye la vibrante jornada en el coloso de cemento, llega el turno de los comentaristas. Antes, los comentaristas han interrumpido varias veces la trasmisión del partido, para indicar a los jugadores qué debían hacer, pero ellos no han podido escucharlos porque estaban ocupados en equivocarse. Estos ideólogos de la WM contra la MW, que viene a ser lo mismo pero al revés, usan un lenguaje donde la erudición científica oscila entre la propaganda bélica y el éxtasis lírico. Y hablan siempre en plural, porque son muchos.

# El lenguaje de los doctores del fútbol

Vamos a sintetizar nuestro punto de vista, formulando una primera aproximación a la problemática táctica, técnica y física del cotejo que se ha disputado esta tarde en el campo del Unidos Venceremos Fútbol Club, sin caer en simplificaciones incompatibles con un tema que sin duda nos está exigiendo análisis más profundos y detallados y sin incurrir en ambigüedades que han sido, son y serán ajenas a nuestra prédica de toda una vida al servicio de la afición deportiva.

Nos resultaría cómodo eludir nuestra responsabilidad atribuyendo el revés del once locatario a la discreta performance de sus jugadores, pero la excesiva lentitud que indudablemente mostraron en la jornada de hoy a la hora de devolucionar cada esférico recepcionado no justifica de ninguna manera, entiéndase bien, señoras y señores, *de ninguna manera*, semejante descalificación generalizada y por lo tanto injusta. No, no y no. El conformismo no es nuestro estilo, como bien saben quienes nos han seguido a lo largo de nuestra trayectoria de tantos años, aquí en nuestro querido país y en los escenarios del deporte internacional e incluso mundial, donde hemos sido convocados a cumplir nuestra modesta función. Así que vamos a decirlo con todas las letras, como es nuestra costumbre: el éxito no ha coronado la potencialidad orgánica del esquema de juego de este esforzado equipo porque lisa y llanamente sigue siendo incapaz de canalizar adecuadamente sus expectativas de una mayor proyección ofensiva hacia el ámbito de la valla rival. Ya lo decíamos el domingo próximo pasado y así lo afirmamos hoy, con la frente alta y sin pelos en la lengua, porque siempre hemos llamado al pan, pan, y al vino, vino, y continuaremos denunciando la verdad, aunque a muchos les duela, caiga quien caiga y cueste lo que cueste.

*lenguaje de guerra*

## La guerra danzada

En el fútbol, ritual sublimación de la guerra, once hombres de pantalón corto son la espada del barrio, la ciudad o la nación. Estos guerreros sin armas ni corazas exorcizan los demonios de la multitud y le confirman la fe: en cada enfrentamiento entre dos equipos, entran en combate viejos odios y amores heredados de padres a hijos.

*mote/hde* El estadio tiene torres y estandartes, como un castillo, y un foso hondo y ancho alrededor del campo. Al medio, una raya blanca señala los territorios en disputa. En cada extremo, aguardan los arcos, que serán bombardeados a pelotazos. Ante los arcos, el área se llama *zona de peligro*.

En el círculo central, los capitanes intercambian banderines y se saludan como el rito manda. Suena el silbato del árbitro y la pelota, otro viento silbador, se pone en movimiento. La pelota va y viene y un jugador se la lleva y la pasea, hasta que le meten un trancazo y cae despatarrado. *golpe en el suelo* La víctima no se levanta. En la inmensidad de la hierba verde, el jugador yace. En la inmensidad de las tribunas, las voces truenan. La hinchada enemiga ruge amablemente:

—*¡Que se muera!*
—*Devi morire!*
—*Tuez-le!*
—*Mach ihn nieder!*
—*Let him die!*
—*Kill kill kill!*

# El lenguaje de la guerra

Mediante una hábil variante táctica de la estrategia prevista, nuestra escuadra se lanzó a la carga sorprendiendo al rival desprevenido. Fue un ataque demoledor. Cuando las huestes locales invadieron el territorio enemigo, nuestro ariete abrió una brecha en el flanco más vulnerable de la muralla defensiva y se infiltró hacia la zona de peligro. El artillero recibió el proyectil, con una diestra maniobra se colocó en posición de tiro, preparó el remate y culminó la ofensiva disparando el cañonazo que aniquiló al cancerbero. Entonces, el vencido guardián, custodio del bastión que parecía inexpugnable, cayó de rodillas con la cara entre las manos, mientras el verdugo que lo había fusilado alzaba los brazos ante la multitud que lo ovacionaba.

El enemigo no se batió en retirada, pero sus embestidas no conseguían sembrar el pánico en las trincheras locales y se estrellaban una y otra vez contra nuestra bien acorazada retaguardia. Sus hombres disparaban con la pólvora mojada, reducidos a la impotencia por la gallardía de nuestros gladiadores, que se batían como leones. Y entonces, desesperados ante la rendición inevitable, los rivales echaron mano al arsenal de la violencia, ensangrentando el campo de juego como si se tratara de un campo de batalla. Cuando dos de los nuestros quedaron fuera de combate, el público exigió en vano el máximo castigo, pero impunemente continuaron las atrocidades propias de un enfrentamiento bélico e indignas de las reglas caballerescas del noble deporte del balompié.

Por fin, cuando el árbitro sordo y ciego dio por concluida la contienda, una merecida silbatina despidió a la escuadra vencida. Y entonces el pueblo victorioso invadió el reducto y paseó en andas a los once héroes de esta épica victoria, esta hazaña, esta epopeya que tanta sangre, sudor y lágrimas nos ha costado. Y nuestro capitán, envuelto en la enseña patria que nunca más será mancillada por la derrota, levantó el trofeo y besó la gran copa de plata. ¡Era el beso de la gloria!

# El estadio

Ha entrado usted, alguna vez, a un estadio vacío? Haga la prueba. Párese en medio de la cancha y escuche. No hay nada menos vacío que un estadio vacío. No hay nada menos mudo que las gradas sin nadie.

En Wembley suena todavía el griterío del Mundial del 66, que ganó Inglaterra, pero aguzando el oído puede usted escuchar gemidos que vienen del 53, cuando los húngaros golearon a la selección inglesa. El Estadio Centenario, de Montevideo, suspira de nostalgia por las glorias del fútbol uruguayo. Maracaná sigue llorando la derrota brasileña en el Mundial del 50. En la Bombonera de Buenos Aires, trepidan tambores de hace medio siglo. Desde las profundidades del estadio Azteca, resuenan los ecos de los cánticos ceremoniales del antiguo juego mexicano de pelota. Habla en catalán el cemento del Camp Nou, en Barcelona, y en euskera conversan las gradas del San Mamés, en Bilbao. En Milán, el fantasma de Giuseppe Meazza mete goles que hacen vibrar al estadio que lleva su nombre. La final del Mundial del 74, que ganó Alemania, se juega día tras día y noche tras noche en el Estadio Olímpico de Munich. El estadio del rey Fahd, en Arabia Saudita, tiene palco de mármol y oro y tribunas alfombradas, pero no tiene memoria ni gran cosa qué decir.

# La pelota

Era de cuero, rellena de estopa, la pelota de los chinos. Los egipcios del tiempo de los faraones la hicieron de paja o cáscaras de granos y la envolvieron en telas de colores. Los griegos y los romanos usaban una vejiga de buey, inflada y cosida. Los europeos de la Edad Media y del Renacimiento disputaban una pelota ovalada, rellena de crines. En América, hecha de caucho, la pelota pudo ser saltarina como en ningún otro lugar. Cuentan los cronistas de la corte española que Hernán Cortés echó a brincar una pelota mexicana y la hizo volar a gran altura, ante los desorbitados ojos del emperador Carlos.

La cámara de goma, hinchada por inflador y recubierta de cuero, nació a mediados del siglo pasado, gracias al ingenio de Charles Goodyear, un norteamericano de Connecticut. Y gracias al ingenio de Tossolini, Valbonesi y Polo, tres argentinos de Córdoba, nació mucho después la pelota sin tiento. Ellos inventaron la cámara con válvula, que se inflaba por inyección, y desde el Mundial del 38 fue posible cabecear sin lastimarse con el tiento que antes ataba la pelota.

Hasta mediados de este siglo, la pelota fue marrón. Después, blanca. En nuestros días, luce cambiantes modelos, en negro sobre fondo blanco. Ahora tiene una cintura de setenta centímetros y está revestida de poliuretano sobre espuma de polietileno. Es impermeable, pesa menos de medio kilo y viaja más rápido

que la vieja pelota de cuero, que se ponía imposible en los días lluviosos.

La llaman con muchos nombres: el esférico, la redonda, el útil, la globa, el balón, el proyectil. En Brasil, en cambio, nadie duda de que ella es mujer. Los brasileños le dicen gordita, *gorduchinha*, la llaman nena, *menina*, y le dan nombres como Maricota, Leonor o Margarita.

Pelé la besó en Maracaná, cuando hizo su gol número mil, y Di Stéfano le erigió un monumento a la entrada de su casa, una pelota de bronce con una placa que dice: *Gracias, vieja*.

Ella es fiel. En la final del Mundial del 30, las dos selecciones exigieron jugar con pelota propia. Sabio como Salomón, el juez decidió que el primer tiempo se disputara con pelota argentina y el segundo tiempo con pelota uruguaya. Argentina ganó el primer tiempo y Uruguay el segundo. Pero la pelota también tiene sus veleidades, y a veces no entra al arco porque en el aire cambia de opinión y se desvía. Es que ella es muy ofendidiza. No soporta que la traten a patadas, ni que le peguen por venganza. Exige que la acaricien, que la besen, que la duerman en el pecho o en el pie. Es orgullosa, quizás vanidosa, y no le faltan motivos: bien sabe ella que a muchas almas da alegría cuando se eleva con gracia, y que son muchas las almas que se estrujan cuando ella cae de mala manera.

Grabado chino de la dinastía Ming. Es del siglo XV, pero la pelota parece de Adidas.

             **23**

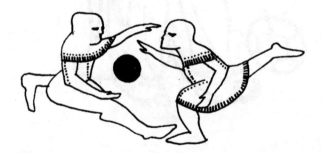

Dos imágenes de la historia del fútbol. El primer dibujo reproduce un fragmento de un mural pintado hace más de mil años en Tepantitla, Teotihuacán, México: el abuelo de Hugo Sánchez pateando de zurda. El segundo es la estilización de un relieve medieval en la catedral británica de Gloucester.

# Los orígenes

En el fútbol, como en casi todo lo demás, los primeros fueron los chinos. Hace cinco mil años, los malabaristas chinos bailaban la pelota con los pies, y fue en China donde tiempo después se organizaron los primeros juegos. La valla estaba al centro y los jugadores evitaban, sin usar las manos, que la pelota tocara el suelo. De dinastía en dinastía continuó la costumbre, como se ve en algunos relieves de monumentos anteriores a Cristo y también en algunos grabados posteriores, que muestran a los chinos de la dinastía Ming jugando con una pelota que parece de Adidas.

Se sabe que en tiempos antiguos los egipcios y los japoneses se divertían pateando la pelota. En el mármol de una tumba griega de cinco siglos antes de Cristo, aparece un hombre peloteando con la rodilla. En las comedias de Antífanes, hay expresiones reveladoras: *pelota larga, pase corto, pelota adelantada...* Dicen que el emperador Julio César era bastante bueno con las dos piernas, y que Nerón no embocaba una: en todo caso, no hay duda de que los romanos jugaban algo bastante parecido al fútbol mientras Jesús y sus apóstoles morían crucificados.

En los pies de los legionarios romanos, llegó la novedad a las islas británicas. Siglos después, en 1314, el rey Eduardo II estampó su sello en una real cédula que condenaba este juego plebeyo y alborotador, «estas escaramuzas alrededor de pelotas de gran tamaño, de las que resultan muchos males que Dios no permita».

El fútbol, que ya se llamaba así, dejaba un tendal de víctimas. Se disputaba en montoneras, y no había límite de jugadores ni de tiempo ni de nada. Un pueblo entero pateaba la pelota contra otro pueblo, empujándola a patadas y a puñetazos hacia la meta, que por entonces era una lejana rueda de molino. Los partidos se extendían a lo largo de varias leguas, durante varios días, a costa de varias vidas. Los reyes prohibían estos lances sangrientos: en 1349, Eduardo III incluyó al fútbol entre los juegos «estúpidos y de ninguna utilidad», y hay edictos contra el fútbol firmados por Enrique IV en 1410 y Enrique VI en 1447. Cuanto más lo prohibían, más se jugaba, lo que no hacía más que confirmar el poder estimulante de las prohibiciones.

En 1592, en su *Comedia de los errores*, Shakespeare recurrió al fútbol para formular la queja de un personaje:

—*Ruedo para vos de tal manera... ¿Me habéis tomado por pelota de fútbol? Vos me pateáis hacia allá, y él me patea hacia acá. Si he de durar en este servicio, debéis forrarme de cuero.*

Y unos años después, en *Rey Lear*, el conde de Kent insultaba así:

—*Tú, ¡despreciable jugador de fútbol!*

En Florencia, el fútbol se llamaba *calcio*, como se llama todavía en toda Italia. Leonardo da Vinci era hincha fervoroso y Maquiavelo jugador practicante. Participaban equipos de 27 hombres, distribuidos en tres líneas, que podían usar manos y pies para golpear la pelota y para despanzurrar adversarios. Una multitud acudía a los partidos, que se celebraban en las plazas más amplias y sobre las aguas congeladas del Arno. Lejos de Florencia, en los jardines del Vaticano, los papas Clemente VII, León IX y Urbano VIII solían arremangarse las vestiduras para jugar al *calcio*.

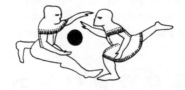

En México y en América Central, la pelota de caucho era el sol de una ceremonia sagrada desde unos mil quinientos años antes de Cristo; pero no se sabe desde cuándo se juega al fútbol en muchos lugares de América. Según los indios de la selva amazónica de Bolivia, tiene orígenes remotos la tradición que los lleva a correr tras una bola de goma maciza, para meterla entre dos palos sin hacer uso de las manos. En el siglo XVIII, un sacerdote español describió así, desde las misiones jesuitas del Alto Paraná, una antigua costumbre de los guaraníes: «No lanzan la pelota con la mano, como nosotros, sino con la parte superior del pie descalzo». Entre los indios de México y América Central la pelota se golpeaba generalmente con la cadera o con el antebrazo, aunque las pinturas de Teotihuacán y de Chichén-Itzá revelan que en ciertos juegos se pateaba la pelota con el pie y con la rodilla. Un mural de hace más de mil años muestra a un abuelo de Hugo Sánchez jugando de zurda en Tepantitla. Cuando el juego concluía, la pelota culminaba su viaje: el sol llegaba al amanecer después de atravesar la región de la muerte. Entonces, para que el sol saliera, corría la sangre. Según algunos entendidos, los aztecas tenían la costumbre de sacrificar a los vencedores. Antes de cortarles la cabeza, les pintaban el cuerpo en franjas rojas. Los elegidos de los dioses daban su sangre en ofrenda, para que la tierra fuera fértil y generoso el cielo.

# Las reglas del juego

Al cabo de tantos siglos de negación oficial, las islas británicas terminaron por aceptar que había una pelota en su destino. En tiempos de la reina Victoria, el fútbol era ya unánime no sólo como vicio plebeyo, sino también como virtud aristocrática.

Los futuros jefes de la sociedad aprendían a vencer jugando al fútbol en los patios de los colegios y las universidades. Allí, los cachorros de la clase alta desahogaban sus ardores juveniles, enderezaban su disciplina, templaban su coraje y afilaban su astucia. En el otro extremo de la escala social, los proletarios no necesitaban extenuar el cuerpo, porque para eso estaban las fábricas y los talleres, pero la patria del capitalismo industrial había descubierto que el fútbol, pasión de masas, daba diversión y consuelo a los pobres y los distraía de huelgas y otros malos pensamientos.

En su forma moderna, el fútbol proviene de un acuerdo de caballeros que doce clubes ingleses sellaron en el otoño de 1863, en una taberna de Londres. Los clubes hicieron suyas las reglas que en 1846 había establecido la Universidad de Cambridge. En Cambridge, el fútbol se había divorciado del rugby: se prohibía llevar la pelota con las manos, aunque se permitía tocarla, y se prohibían las patadas al adversario. «Los puntapiés sólo deben dirigirse hacia la pelota», advertía una de las reglas: un siglo y medio después, todavía hay jugadores que confunden a la pelota con el cráneo del rival, por su forma parecida.

El acuerdo de Londres no limitaba el número de jugadores, ni la extensión del campo, ni la altura del arco, ni la duración de los partidos. Los partidos duraban dos o tres horas, y sus protagonistas charlaban y fumaban cuando la pelota volaba lejos. Ya existía, eso sí, el fuera de juego. Era desleal meter goles a espaldas del adversario.

En aquellos tiempos, nadie ocupaba un lugar determinado en la cancha: todo el mundo corría alegremente tras la pelota, cada cual iba donde quería y cambiaba de puesto a voluntad. Fue en Escocia donde los equipos se organizaron, hacia 1870, con funciones de defensa, línea media y ataque. Para entonces, ya los equipos tenían once jugadores. Ninguno podía tocar la pelota con las manos, desde 1869, ni siquiera para detenerla y colocarla en los pies. Pero en 1871 nació el arquero, única excepción de ese tabú, que podía defender la meta con todo el cuerpo.

El arquero protegía un reducto cuadrado: la meta, más corta que la actual y mucho más alta, consistía de dos palos unidos por una cinta a cinco metros y medio de altura. La cinta fue sustuida por un travesaño de madera en 1875. En los palos se marcaban los goles, con pequeñas muescas. La expresión *marcar un gol* se usa todavía, aunque ahora los goles no se marcan en los palos, sino que se registran en las pantallas electrónicas de los estadios. La meta, hecha en ángulos rectos, no tiene forma arqueada, pero todavía la llamamos *arco* en algunos países, y llamamos *arquero* a quien la defiende, quizás porque los estudiantes de los colegios ingleses habían usado de vallas las arcadas de los patios.

En 1872, apareció el árbitro. Hasta entonces, los jugadores eran sus propios jueces y ellos mismos sancionaban las faltas que cometían. En 1880, cronómetro en mano, el árbitro decidía cuándo terminaba el partido y tenía el poder de expulsar a quien se portara mal, pero todavía dirigía desde afuera y a los gritos. En 1891, el árbitro entró por primera vez en la cancha, soplando un pito cobró el primer penal de la historia y caminando doce pasos señaló el punto de su ejecución. Desde tiempo atrás, la prensa británica venía haciendo campaña a favor del penal. Era preciso proteger a los jugadores en la boca del arco, que era escenario de carnicerías. La *Gaceta de Westminster* había publicado una espeluznante lista de jugadores muertos y de huesos rotos.

En 1882, los dirigentes ingleses autorizaron el saque de costado con las manos. En 1890, las áreas de la cancha fueron dibujadas con cal, y se trazó un círculo al centro. En ese año, el arco tuvo red. Atrapando la pelota, la red evitaba dudas en los goles.

Después, murió el siglo, y con él acabó el monopolio británico. En 1904 nació la FIFA, Federación Internacional de Fútbol Asociado, que desde entonces gobierna las relaciones entre la pelota y el pie en el mundo entero. A lo largo de los campeonatos mundiales, la FIFA introdujo pocos cambios en aquellas reglas británicas que organizaron el juego.

# Las invasiones inglesas

A la orilla del manicomio, en un campo baldío de Buenos Aires, unos muchachos rubios estaban pateando una pelota.

—*¿Quiénes son?* —preguntó un niño.

—*Locos* —le informó el padre—. *Ingleses locos.*

El periodista Juan José de Soiza Reilly ha evocado esta memoria de su infancia. En los primeros tiempos, el fútbol parecía *un juego de locos* en el Río de la Plata. Pero en plena expansión imperial, el fútbol era un producto de exportación tan típicamente británico como los tejidos de Manchester, los ferrocarriles, los préstamos de la banca Barings o la doctrina del libre comercio. Había llegado en los pies de los marineros, que lo jugaban en los alrededores de los diques de Buenos Aires y Montevideo, mientras los navíos de Su Majestad descargaban ponchos, botas y harina y embarcaban lana, cueros y trigo para fabricar, allá lejos, más ponchos, botas y harina. Fueron ciudadanos ingleses, diplomáticos y funcionarios del ferrocarril y del gas, quienes formaron los primeros equipos locales. El primer partido internacional jugado en Uruguay, en 1889, enfrentó a los ingleses de Montevideo y Buenos Aires bajo un gigantesco retrato de la reina Victoria, párpados caídos, mueca de desdén, y otro retrato de la reina de los mares amparó en 1895 el primer partido del fútbol brasileño, que fue disputado entre los súbditos británicos de la Gas Company y la São Paulo Railway.

Las viejas fotos muestran a aquellos pioneros en color sepia. Eran guerreros formados para la batalla. Las armaduras de algodón y lana les cubrían todo el cuerpo, por no ofender a las damas que asistían a los partidos enarbolando sombrillas de seda y agitando pañuelos de encajes. Los jugadores sólo exhibían al desnudo sus rostros de grave mirada y bigotazos en punta, que asomaban bajo las gorras o los sombreros. En los pies, cargaban pesados botines Manfield.

El contagio no se hizo esperar. Más temprano que tarde, los caballeros de la sociedad local se pusieron a practicar aquella locura inglesa. Desde Londres importaron las camisetas, los botines, las gruesas canilleras y los pantalones, que llegaban desde el pecho hasta más allá de las rodillas. Las pelotas de fútbol ya no llamaban la atención de los aduaneros, que al principio no sabían cómo clasificar tales especies. Los navíos también traían los manuales, y con ellos las palabras que venían a estas lejanas costas del sur americano para quedarse aquí por muchos años: *field, score, goal, goal-keeper, back, half, forward, out-ball, penalty, off-side*. El *foul* merecía el castigo del *referee*, pero el jugador agraviado podía aceptar las excusas del culpable *siempre y cuando sus disculpas fueran sinceras y estuvieran formuladas en correcto inglés*, según enseñaba el primer decálogo de fútbol que circuló en el Río de la Plata.

Mientras tanto, otras palabras del idioma inglés se incorporaban al lenguaje de los países latinoamericanos del mar Caribe: *pitcher, catcher, innings*. Sometidos a la influencia norteamericana, esos países aprendían a golpear la pelota con un bate de madera redondeada. Los *marines* traían el bate al hombro, junto al fusil, mientras a sangre y fuego imponían el orden imperial en la región. Desde entonces, el béisbol es, para los caribeños, lo que el fútbol es para nosotros.

# El fútbol criollo

La Argentine Football Association no permitía que se hablara en español en las reuniones de sus dirigentes, y la Uruguay Association Football League prohibía que los partidos se jugaran en día domingo, porque la costumbre inglesa mandaba jugar el sábado. Pero ya en los primeros años del siglo, el fútbol estaba empezando a popularizarse, y a nacionalizarse, en las orillas del Río de la Plata. Esta diversión importada, que entretenía los ocios de los niños bien, se había escapado de su alta maceta, había bajado a la tierra y estaba echando raíces.

Fue un proceso imparable. Como el tango, el fútbol creció desde los suburbios. Era un deporte que no exigía dinero y se podía jugar sin nada más que las puras ganas. En los potreros, en los callejones y en las playas, los muchachos criollos y los jóvenes inmigrantes improvisaban partidos con pelotas hechas de medias viejas, rellenas de trapo o papel, y un par de piedras para simular el arco. Gracias al lenguaje del fútbol, que empezaba a hacerse universal, los trabajadores expulsados por el campo se entendían de lo más bien con los trabajadores expulsados por Europa. El esperanto de la pelota unía a los nativos pobres con los peones que habían atravesado la mar desde Vigo, Lisboa, Nápoles, Beirut o la

Besarabia y que soñaban con hacerse la América levantando paredes, cargando bultos, horneando pan o barriendo calles. Lindo viaje había hecho el fútbol: había sido organizado en los colegios y universidades inglesas, y en América del Sur alegraba la vida de gente que nunca había pisado una escuela.

En las canchas de Buenos Aires y de Montevideo, nacía un estilo. Una manera propia de jugar al fútbol iba abriéndose paso, mientras una manera propia de bailar se afirmaba en los patios milongueros. Los bailarines dibujaban filigranas, floreándose en una sola baldosa, y los futbolistas inventaban su lenguaje en el minúsculo espacio donde la pelota no era pateada sino retenida y poseída, como si los pies fueran manos trenzando el cuero. Y en los pies de los primeros virtuosos criollos, nació *el toque*: la pelota *tocada* como si fuera guitarra, fuente de música.

Simultáneamente, el fútbol se tropicalizaba en Río de Janeiro y San Pablo. Eran los pobres quienes lo enriquecían, mientras lo expropiaban. Este deporte extranjero se hacía brasileño a medida que dejaba de ser el privilegio de unos pocos jóvenes acomodados, que lo jugaban copiando, y era fecundado por la energía creadora del pueblo que lo descubría. Y así nacía el fútbol más hermoso del mundo, hecho de quiebres de cintura, ondulaciones de cuerpo y vuelos de piernas que venían de la capoeira, danza guerrera de los esclavos negros, y de los bailongos alegres de los arrabales de las grandes ciudades.

El fútbol se iba haciendo pasión popular y revelaba su secreta belleza, y a la vez se descalificaba como pasatiempo fino. En 1915, la democratización del fútbol arrancaba quejas a la revista *Sports*, de Río de Janeiro: «Los que tenemos una posición en la sociedad estamos obligados a jugar con un obrero, con un chofer... La práctica del deporte se está convirtiendo en un suplicio, un sacrificio, nunca una diversión».

# Historia de Fla y Flu

En 1912, se disputó el primer clásico de la historia del fútbol brasileño, el primer Fla-Flu. El club Fluminense venció al Flamengo 3 a 2.

Fue un partido movido y violento, que provocó numerosos desmayos entre el público. El palco rebosaba de flores, frutas, plumas, damas y caballeros. Mientras los caballeros celebraban cada gol arrojando sus sombreros de paja al campo de juego, las damas dejaban caer sus abanicos y se desvanecían, por causa de la emoción del gol o los agobios del calor y del corsé.

El Flamengo había nacido poco antes a la vida futbolera. Había brotado de una fractura del club Fluminense, que se partió en dos al cabo de muchos líos y muchos ruidos de guerra y griteríos de parto. Pronto el padre se arrepintió de no haber ahogado en la cuna a este hijo respondón y burlón, pero ya no había nada que hacer: el Fluminense había generado su propia maldición y la desgracia no tenía remedio.

Desde entonces, padre e hijo, hijo rebelde, padre abandonado, se dedican a odiarse. Cada clásico Fla-Flu es una nueva batalla de esta guerra de nunca acabar. Los dos aman a la misma ciudad, Río de Janeiro, perezosa, pecadora, que lánguidamente se deja querer y se divierte ofreciéndose a los dos sin darse a ninguno. Padre e hijo juegan para la amante que juega con ellos. Por ella se baten, y ella acude a los duelos vestida de fiesta.

🏐 🏐 🏐 🏐 🏐 🏐 🏐 🏐 🏐 🏐 🏐

# ¿El opio de los pueblos?

En qué se parece el fútbol a Dios? En la devoción que le tienen muchos creyentes y en la desconfianza que le tienen muchos intelectuales.

En 1902, en Londres, Rudyard Kipling se burló del fútbol y de «las almas pequeñas que pueden ser saciadas por los embarrados idiotas que lo juegan». Un siglo después, en Buenos Aires, Jorge Luis Borges fue más sutil: dictó una conferencia sobre el tema de la inmortalidad el mismo día, y a la misma hora, en que la selección argentina estaba disputando su primer partido en el Mundial del 78.

El desprecio de muchos intelectuales conservadores se funda en la certeza de que la idolatría de la pelota es la superstición que el pueblo merece. Poseída por el fútbol, la plebe piensa con los pies, que es lo suyo, y en ese goce subalterno se realiza. El instinto animal se impone a la razón humana, la ignorancia aplasta a la Cultura, y así la chusma tiene lo que quiere.

En cambio, muchos intelectuales de izquierda descalifican al fútbol porque castra a las masas y desvía su energía revolucionaria.

*intelectuales odian a fútbol*

*anti intelectual*

Pan y circo, circo sin pan: hipnotizados por la pelota, que ejerce una perversa fascinación, los obreros atrofian su conciencia y se dejan llevar como un rebaño por sus enemigos de clase.

Cuando el fútbol dejó de ser cosa de ingleses y de ricos, en el Río de la Plata nacieron los primeros clubes populares, organizados en los talleres de los ferrocarriles y en los astilleros de los puertos. En aquel entonces, algunos dirigentes anarquistas y socialistas denunciaron esta maquinación de la burguesía destinada a evitar las huelgas y enmascarar las contradicciones sociales. La difusión del fútbol en el mundo era el resultado de una maniobra imperialista para mantener en la edad infantil a los pueblos oprimidos.

Sin embargo, el club Argentinos Juniors nació llamándose club Mártires de Chicago, en homenaje a los obreros anarquistas ahorcados un primero de mayo, y fue un primero de mayo el día elegido para dar nacimiento al club Chacarita, bautizado en una biblioteca anarquista de Buenos Aires. En aquellos primeros años del siglo, no faltaron intelectuales de izquierda que celebraron al fútbol en lugar de repudiarlo como anestesia de la conciencia. Entre ellos, el marxista italiano Antonio Gramsci, que elogió «este reino de la lealtad humana ejercida al aire libre».

# La pelota como bandera

En el verano de 1916, en plena guerra mundial, un capitán inglés se lanzó al asalto pateando una pelota. El capitán Nevill saltó del parapeto que lo protegía, y corriendo tras la pelota encabezó el asalto contra las trincheras alemanas. Su regimiento, que vacilaba, lo siguió. El capitán murió de un cañonazo, pero Inglaterra conquistó aquella tierra de nadie y pudo celebrar la batalla como la primera victoria del fútbol inglés en el frente de guerra.

Muchos años después, ya en los fines del siglo, el dueño del club Milan ganó las elecciones italianas con una consigna, *Forza Italia!*, que provenía de las tribunas de los estadios. Silvio Berlusconi prometió que salvaría a Italia como había salvado al Milan, el superequipo campeón de todo, y los electores olvidaron que algunas de sus empresas estaban a la orilla de la ruina.

El fútbol y la patria están siempre atados; y con frecuencia los políticos y los dictadores especulan con esos vínculos de identidad. La escuadra italiana ganó los mundiales del 34 y del 38 en nombre de la patria y de Mussolini, y sus jugadores empezaban y terminaban cada partido vivando a Italia y saludando al público con la palma de la mano extendida.

También para los nazis, el fútbol era una cuestión de Estado. Un monumento recuerda, en Ucrania, a los jugadores del Dínamo de Kiev de 1942. En plena ocupación alemana, ellos cometieron

la locura de derrotar a una selección de Hitler en el estadio local. Les habían advertido:

—*Si ganan, mueren.*

Entraron resignados a perder, temblando de miedo y de hambre, pero no pudieron aguantarse las ganas de ser dignos. Los once fueron fusilados con las camisetas puestas, en lo alto de un barranco, cuando terminó el partido.

Fútbol y patria, fútbol y pueblo: en 1934, mientras Bolivia y Paraguay se aniquilaban mutuamente en la guerra del Chaco, disputando un desierto pedazo de mapa, la Cruz Roja paraguaya formó un equipo de fútbol, que jugó en varias ciudades de Argentina y Uruguay y juntó bastante dinero para atender a los heridos de ambos bandos en el campo de batalla.

Tres años después, durante la guerra de España, dos equipos peregrinos fueron símbolos de la resistencia democrática. Mientras el general Franco, del brazo de Hitler y Mussolini, bombardeaba la república española, una selección vasca recorría Europa y el club Barcelona disputaba partidos en Estados Unidos y en México. El gobierno vasco envió al equipo Euzkadi a Francia y a otros países con la misión de hacer propaganda y recaudar fondos para la defensa. Simultáneamente, el club Barcelona se embarcó hacia América. Corría el año 1937, y ya el presidente del club Barcelona había caído bajo las balas franquistas. Ambos equipos encarnaron, en los campos de fútbol y también fuera de ellos, a la democracia acosada.

Sólo cuatro jugadores catalanes regresaron a España durante la guerra. De los vascos, apenas uno. Cuando la república fue vencida, la FIFA declaró en rebeldía a los jugadores exiliados, y los amenazó con la inhabilitación definitiva, pero unos cuantos consiguieron incorporarse al fútbol latinoamericano. Con varios vascos se formó, en México, el club España, que resultó imbatible en sus primeros tiempos. El delantero centro del equipo Euzkadi, Isidro Lángara, debutó en el fútbol argentino en 1939. En su primer partido, metió cuatro goles. Fue en el club San Lorenzo, donde también brilló Ángel Zubieta, que había jugado en la línea media del Euzkadi. Después, en México, Lángara encabezó la tabla de goleadores de 1945 en el campeonato local.

El club modelo de la España de Franco, el Real Madrid, reinó en el mundo entre 1956 y 1960. Este equipo deslumbrante ganó al hilo cuatro copas de la Liga española, cinco copas de Europa y una intercontinental. El Real Madrid andaba por todas partes y siempre dejaba a la gente con la boca abierta. La dictadura de Franco había encontrado una insuperable embajada ambulante. Los goles que la radio trasmitía eran clarinadas de triunfo más eficaces que el himno *Cara al sol*. En 1959, uno de los jefes del régimen, José Solís, pronunció un discurso de gratitud ante los jugadores, «porque gente que antes nos odiaba, ahora nos comprende gracias a vosotros». Como el Cid Campeador, el Real Madrid reunía las virtudes de la Raza, aunque su famosa escuadra se parecía más bien a la Legión Extranjera. En ella brillaban un francés, Kopa, dos argentinos, Di Stéfano y Rial, el uruguayo Santamaría y el húngaro Puskas.

A Ferenc Puskas lo llamaban *Cañoncito pum*, por las virtudes demoledoras de su pierna izquierda, que también sabía ser un guante. Otros húngaros, Ladislao Kubala, Zoltan Czibor y Sandor Kocsis, se lucían en el club Barcelona en esos años. En 1954 se colocó la primera piedra del Camp Nou, el gran estadio que nació de Kubala: el gentío que iba a verlo jugar, pases al milímetro, remates mortíferos, no cabía en el estadio anterior. Czibor, mientras tanto, sacaba chispas de los zapatos. El otro húngaro del Barcelona, Kocsis, era un gran cabeceador. *Cabeza de oro*, lo llamaban, y un mar de pañuelos celebraba sus goles. Dicen que Kocsis fue la mejor cabeza de Europa, después de Churchill.

En 1950, Kubala había integrado un equipo húngaro en el exilio, lo que le valió una suspensión de dos años, decretada por la FIFA. Después, la FIFA sancionó con más de un año de suspensión a Puskas, Czibor, Kocsis y otros húngaros que habían jugado en otro equipo del exilio desde fines de 1956, cuando la invasión soviética aplastó la insurrección popular.

En 1958, en plena guerra de independencia, Argelia formó una selección de fútbol que por primera vez vistió los colores patrios. Integraban su plantel Makhloufi, Ben Tifour y otros argelinos que jugaban profesionalmente en el fútbol francés.

Bloqueada por la potencia colonial, Argelia sólo consiguió jugar con Marruecos, país que por semejante pecado fue desafiliado de la FIFA durante algunos años, y además disputó unos pocos partidos sin trascendencia, organizados por los sindicatos deportivos de ciertos países árabes y del este de Europa. La FIFA cerró todas las puertas a la selección argelina y el fútbol francés castigó a esos jugadores decretando su muerte civil. Presos por contrato, ellos nunca más podrían volver a la actividad profesional.

Pero después que Argelia conquistó la independencia, el fútbol francés no tuvo más remedio que volver a llamar a los jugadores que sus tribunas añoraban.

# Los negros

En 1916, en el primer campeonato sudamericano, Uruguay goleó a Chile 4 a 0. Al día siguiente, la delegación chilena exigió la anulación del partido, «porque Uruguay alineó a dos africanos». Eran los jugadores Isabelino Gradín y Juan Delgado. Gradín había cometido dos de los cuatro goles.

Bisnieto de esclavos, Gradín había nacido en Montevideo. La gente se levantaba de sus asientos cuando él se lanzaba a una velocidad pasmosa, dominando la pelota como quien camina, y sin detenerse esquivaba a los rivales y remataba a la carrera. Tenía cara de pan de Dios y era un tipo de esos que cuando se hacen los malos, nadie les cree.

Juan Delgado, también bisnieto de esclavos, había nacido en Florida, en el interior del Uruguay. Mucho se lucía Delgado bailando la escoba en los carnavales y la pelota en las canchas. Mientras jugaba, conversaba, y les tomaba el pelo a los adversarios:

—*Descolgame ese racimo* —decía, elevando la pelota. Y lanzándola decía:

—*Tírate que hay arenita.*

Uruguay era, en aquel entonces, el único país del mundo que tenía jugadores negros en la selección nacional.

## Zamora

Debutó en primera división a los dieciséis años, cuando todavía vestía pantalones cortos. Para salir a la cancha del club Español, en Barcelona, se puso un *jersey* inglés de cuello alto, guantes y una gorra dura como un casco, que iba a protegerlo del sol y de los patadones. Corría el año 1917 y las cargas eran de caballería. Ricardo Zamora había elegido un oficio de alto riesgo. El único que corría más peligro que el arquero era el árbitro, por entonces llamado *el Nazareno*, que estaba expuesto a las venganzas del público en canchas que no tenían fosa ni alambrada. En cada gol se interrumpía largamente el partido, porque la gente se metía en la cancha para abrazar o golpear.

Con la misma vestimenta de aquella primera vez, se hizo famosa, a lo largo del tiempo, la estampa de Zamora. Él era el pánico de los delanteros. Si lo miraban, estaban perdidos: con Zamora en el arco, el arco se encogía y los palos se alejaban hasta perderse de vista.

Lo llamaban *el Divino*. Durante veinte años, fue el mejor arquero del mundo. Le gustaba el coñac y fumaba tres paquetes diarios de cigarrillos y uno que otro habano.

Ilustraciones de un manual de fútbol, publicado en Barcelona a principios de siglo.

# Samitier

A los dieciséis años, como Zamora, Josep Samitier debutó en primera división. En 1918, fichó por el club Barcelona a cambio de un reloj de esfera luminosa, que era cosa nunca vista, y un traje con chaleco.

Poco tiempo después, ya era el as del equipo y su biografía se vendía en los quioscos de la ciudad. Su nombre era cantado por las cupleteras de cabaret, invocado en las comedias de moda y admirado en las crónicas deportivas, que elogiaban *el estilo mediterráneo* fundado por el fútbol de Zamora y Samitier.

Samitier, delantero de remate fulminante, sobresalía por su astucia, su dominio de la pelota, su ningún respeto por las reglas de la lógica y su olímpico desprecio por las fronteras del espacio y del tiempo.

 **45**

# Muerte en la cancha

Abdón Porte defendió la camiseta del club uruguayo Nacional durante más de doscientos partidos, a lo largo de cuatro años, siempre aplaudido, a veces ovacionado, hasta que se le acabó la buena estrella.

Entonces lo sacaron del equipo titular. Esperó, pidió volver, volvió. Pero no había caso, la mala racha seguía, la gente lo silbaba: en la defensa, se le escapaban hasta las tortugas; en el ataque, no embocaba una.

Al fin del verano de 1918, en el estadio del club Nacional, Abdón Porte se mató. Se pegó un balazo a medianoche, en el centro de la cancha donde había sido querido. Estaban todas las luces apagadas. Nadie escuchó el disparo.

Lo encontraron al amanecer. En una mano tenía el revólver y en la otra una carta.

# Friedenreich

En 1919, Brasil venció a Uruguay 1 a 0 y se consagró campeón sudamericano. El pueblo se lanzó a las calles de Río de Janeiro. Encabezaba los festejos, alzado a modo de estandarte, un embarrado zapato de fútbol, con un cartelito que proclamaba: *O glorioso pé de Friedenreich*. Al día siguiente, aquel zapato que había convertido el gol de la victoria fue a parar a la vitrina de una joyería, en el centro de la ciudad.

Artur Friedenreich, hijo de un alemán y una lavandera negra, jugó en primera división durante veintiséis años y nunca cobró un centavo. Nadie hizo más goles que él en la historia del fútbol. Metió más goles que el otro gran artillero, Pelé, también brasileño, que ha sido el máximo goleador del fútbol profesional. Friedenreich sumó 1.329; Pelé, 1.279.

Este mulato de ojos verdes fundó el modo brasileño de jugar. Él rompió los manuales ingleses: él, o el diablo que se le metía por la planta del pie. Friedenreich llevó al solemne estadio de los blancos la irreverencia de los muchachos de color café que gozaban disputando una pelota de trapo en los suburbios. Así nació un estilo, abierto a la fantasía, que prefiere el placer al resultado. Desde Friedenreich en adelante, el fútbol brasileño que es de veras brasileño no tiene ángulos rectos, como tampoco los tienen las montañas de Río de Janeiro ni los edificios de Oscar Niemeyer.

# De la mutilación a la plenitud

En 1921, la Copa América iba a jugarse en Buenos Aires. El presidente de Brasil, Epitácio Pessoa, formuló entonces un mandato de blancura: ordenó que no se enviara ningún jugador de piel morena, por razones de prestigio patrio. De los tres partidos que jugó, la selección blanca perdió dos.

En ese campeonato sudamericano no jugó Friedenreich. En aquella época, era imposible ser negro en el fútbol brasileño, y ser mulato era difícil: Friedenreich entraba siempre tarde a las canchas, porque en el vestuario se demoraba media hora planchándose las motas, y el único jugador mulato del club Fluminense, Carlos Alberto, se blanqueaba la cara con polvo de arroz.

Después, a pesar de los dueños del poder y no por ellos, las cosas fueron cambiando. A la larga, con el paso del tiempo, aquel fútbol mutilado por el racismo pudo revelarse en toda la plenitud de sus diversos colores. Y al cabo de tantos años es fácil comprobar que han sido negros o mulatos los mejores jugadores de la historia de Brasil, desde Friedenreich hasta Romario, pasando por Domingos da Guía, Leônidas, Zizinho, Garrincha, Didí y Pelé. Todos venían de la pobreza, y algunos volvieron a ella. En cambio, nunca hubo ningún negro ni mulato entre los campeones

brasileños de automovilismo. Como el tenis, el deporte de las pistas exige dinero.

En la pirámide social del mundo, los negros están abajo y los blancos arriba. En Brasil llaman a eso *democracia racial*, pero la verdad es que el fútbol ofrece uno de los pocos espacios más o menos democráticos donde la gente de piel oscura puede competir en pie de igualdad. Puede, hasta cierto punto, porque también en el fútbol unos son más iguales que otros. Aunque tengan los mismos derechos, nunca compiten en parejas condiciones el jugador que viene del hambre y el atleta bien alimentado. Pero al menos en el fútbol encuentra alguna posibilidad de ascenso social el niño pobre, en general negro o mulato, que no tiene otro juguete que la pelota: la pelota es la única varita mágica en la que puede creer. Quizás ella le dé de comer, quizás ella lo convierta en héroe, quizás en dios.

La miseria lo adiestra para el fútbol o el delito. Desde que nace, ese niño está obligado a convertir en arma su desventaja física, y rápidamente aprende a gambetear las normas del orden que le niega lugar. Aprende a descubrir el despiste de cada pista, y se hace sabio en el arte de disimular, sorprender, abrirse paso donde menos se lo espera y sacarse de encima al enemigo con un quiebre de cintura o cualquier otra melodía de la música malandra.

## El segundo descubrimiento de América

Para Pedro Arispe, la patria no significaba nada. La patria era el lugar donde él había nacido, que lo mismo le daba porque nadie lo había consultado, y era el lugar donde él se deslomaba trabajando de peón para un frigorífico, que también le daba lo mismo un patrón que otro cualquiera en cualquier otra geografía. Pero cuando el fútbol uruguayo ganó en Francia la Olimpíada de 1924, Arispe era uno de los jugadores triunfantes; y mientras miraba la bandera nacional que se alzaba lentamente en el mástil de honor, con el sol arriba y las cuatro barras celestes, en el centro de todas las banderas y más alta que todas, Arispe sintió que se le rompía el pecho.

Cuatro años después, Uruguay ganó la Olimpíada de Holanda. Y un dirigente uruguayo, Atilio Narancio, que en el 24 había hipotecado su casa para pagar los pasajes de los jugadores, comentó:

—*Ya no somos más aquel pequeño punto en el mapa del mundo.*

La camiseta celeste era la prueba de la existencia de la nación, el Uruguay no era un error, el fútbol había arrancado a este minúsculo país de las sombras del anonimato universal.

Los autores de aquellos milagros del 24 y del 28 eran obreros y bohemios que no recibían del fútbol nada más que la pura felicidad de jugar. Pedro Arispe era obrero de la carne. José Nasazzi cortaba piedras de mármol. Perucho Petrone era verdulero.

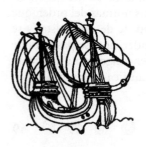

Pedro Cea, repartidor de hielo. José Leandro Andrade, musiquero de carnaval y lustrabotas. Todos tenían veinte años, o poco más, aunque en las fotos parecen señores mayores. Se curaban las patadas con agua y sal, paños de vinagre y unos cuantos vasos de vino.

En 1924, llegaron a Europa con pasajes de tercera y allá viajaron de prestado, en vagones de segunda, durmiendo en asientos de madera y obligados a disputar un partido tras otro a cambio del techo y la comida. Camino de la Olimpíada de París, disputaron en España nueve partidos y ganaron los nueve.

Era la primera vez que un equipo latinoamericano jugaba en Europa. Uruguay enfrentaba a Yugoslavia en su partido inicial. Los yugoslavos enviaron espías a la práctica. Los uruguayos se dieron cuenta, y se entrenaron pegando patadas al suelo, tirando la pelota a las nubes, tropezando a cada paso y chocándose entre sí. Los espías informaron:

—*Dan pena estos pobres muchachos, que vinieron de tan lejos...*

Apenas dos mil personas asistieron a aquel primer partido. La bandera uruguaya fue izada al revés, con el sol para abajo, y en lugar del himno nacional se escuchó una marcha brasileña. Aquella tarde, Uruguay derrotó a Yugoslavia 7 a 0.

Y entonces ocurrió algo así como el segundo descubrimiento de América. Partido tras partido, la multitud se agolpaba para ver a aquellos hombres escurridizos como ardillas, que jugaban al ajedrez con la pelota. La escuela inglesa había impuesto el pase lar-

go y la pelota alta, pero estos hijos desconocidos, engendrados en la remota América, no repetían al padre. Ellos preferían inventar un fútbol de pelota cortita y al pie, con relampagueantes cambios de ritmo y fintas a la carrera. Henri de Montherlant, escritor aristocrático, publicó su entusiasmo: «¡Una revelación! He aquí al verdadero fútbol. Lo que nosotros conocíamos, lo que nosotros jugábamos, no era, comparado con esto, más que un pasatiempo de escolares».

Aquel fútbol uruguayo de las Olimpíadas del 24 y del 28, que después ganó los Mundiales del 30 y del 50, fue posible, en gran medida, gracias a una política oficial de impulso a la educación física, que había abierto campos de deportes en todo el país. Han pasado los años, y de aquel Estado con vocación social sólo queda la nostalgia. De aquel fútbol, también. Algunos jugadores, como el muy sutil Enzo Francescoli, han sabido heredar y renovar las viejas artes, pero en general el fútbol uruguayo está lejos de ser lo que era. Son cada vez menos los niños que lo juegan, y cada vez menos los hombres que lo juegan con gracia. Sin embargo, no hay ningún uruguayo que no se considere doctor en tácticas y estrategias del fútbol y erudito en su historia. La pasión futbolera de los uruguayos viene de aquellas lejanías, y todavía sus hondas raíces están a la vista: cada vez que la selección nacional juega un partido, sea contra quien sea, se corta la respiración del país y se callan la boca los políticos, los cantores y los charlatanes de feria, los amantes detienen sus amores y las moscas paran el vuelo.

# Andrade

Europa nunca había visto a un negro jugando al fútbol. En la Olimpíada del 24, el uruguayo José Leandro Andrade deslumbró con sus jugadas de lujo. En la línea media, este hombrón de cuerpo de goma barría la pelota sin tocar al contrario, y cuando se lanzaba al ataque, cimbreando el cuerpo desparramaba un mundo de gente. En uno de los partidos, atravesó media cancha con la pelota dormida en la cabeza. El público lo aclamaba, la prensa francesa lo llamaba *La Maravilla Negra*.

Cuando el torneo terminó, Andrade se quedó un tiempo anclao en París. Allí fue errante bohemio y rey del cabaret. Los botines de charol sustituyeron a las alpargatas bigotudas que había traído de Montevideo y un sombrero de copa ocupó el lugar de la gorra gastadita. Las crónicas de la época saludaban la estampa de aquel monarca de las noches de Pigalle: el paso elástico y bailarín, la mueca sobradora, los ojos entornados que siempre miraban de lejos y una pinta que mataba: pañuelos de seda, chaqueta a rayas, guantes de color patito y bastón con empuñadura de plata.

Andrade murió en Montevideo, muchos años después. Los amigos habían proyectado varios festivales en su beneficio, pero nunca se realizó ninguno. Murió tuberculoso y en la última miseria.

Fue negro, sudamericano y pobre, el primer ídolo internacional del fútbol.

## Las moñas

Las gambetas de los jugadores uruguayos, que dibujaban ochos sucesivos en la cancha, se llamaban *moñas*. Los periodistas franceses quisieron conocer el secreto de aquellas brujerías que dejaban de mármol a los rivales. José Leandro Andrade, intérprete mediante, les reveló la fórmula: los jugadores se entrenaban corriendo gallinas, que huían haciendo eses. Los periodistas lo creyeron, y lo publicaron.

Muchos años después, las buenas moñas eran todavía aplaudidas como goles en el fútbol sudamericano. Mi memoria de infancia está llena de ellas. Cierro los ojos y veo, pongamos por caso, a Walter Gómez, aquel vértigo abrecaminos que se metía en la maraña de las piernas enemigas y de moña en moña iba dejando una estela de caídos. Las tribunas confesaban:

> *La gente ya no come,*
> *por ver a Walter Gómez.*

A él le gustaba *amasar* la pelota; y si se la sacaban, se ofendía. Ningún director técnico se hubiera atrevido a decirle, como se dice ahora:

—*Para amasar, a la panadería.*

La moña no sólo era una travesura permitida: era una alegría exigida.

Hoy en día están prohibidas, o al menos vigiladas bajo grave sospecha, estas orfebrerías: ahora se consideran exhibicionismos egoístas, que traicionan el espíritu de equipo y son perfectamente inútiles ante los férreos sistemas defensivos del fútbol moderno.

# El gol olímpico

Cuando la selección uruguaya regresó de la Olimpíada del 24, los argentinos le ofrecieron un partido de festejo. El partido se jugó en Buenos Aires. Uruguay perdió por un gol. El puntero izquierdo Cesáreo Onzari fue el autor de ese gol de la victoria. Lanzó un tiro de esquina y la pelota se metió en el arco sin que nadie la tocara. Era la primera vez en la historia del fútbol que se hacía un gol así. Los uruguayos se quedaron mudos. Cuando consiguieron hablar, protestaron. Según ellos, el arquero Mazali había sido empujado mientras la pelota venía en el aire. El árbitro no les hizo caso. Y entonces mascullaron que Onzari no había tenido la intención de disparar a puerta y que el gol había sido cosa del viento.

Por homenaje o ironía, aquella rareza se llamó *gol olímpico*. Y todavía se llama así, las pocas veces que ocurre. Onzari pasó todo el resto de su vida jurando que no había sido casualidad. Y aunque han transcurrido muchos años, la desconfianza continúa: cada vez que un tiro de esquina sacude la red sin intermediarios, el público celebra el gol con una ovación, pero no se lo cree.

# Gol de Piendibene

Fue en 1926. El autor del gol, José Piendibene, no lo festejó. Piendibene, hombre de rara maestría y más rara modestia, nunca festejaba sus goles, por no ofender.

El club uruguayo Peñarol estaba jugando en Montevideo contra el Español de Barcelona, y no encontraba la manera de perforar la valla defendida por Zamora. La jugada vino de atrás. Anselmo esquivó a dos adversarios, cruzó la pelota a Suffiati y se lanzó en carrera, esperando la devolución. Pero entonces Piendibene la pidió, la recibió, eludió a Urquizú y se acercó al arco. Zamora vio que Piendibene remataba al ángulo derecho y se lanzó en un salto. La pelota no se había movido, dormida en el pie: Piendibene la cacheteó, suavecito, a la izquierda de la valla vacía. Zamora alcanzó a saltar hacia atrás, salto de gato, y pudo rozar la pelota con la punta de los dedos, cuando ya no había nada qué hacer.

## La chilena

Ramón Unzaga inventó la jugada, en la cancha del puerto chileno de Talcahuano: con el cuerpo en el aire, de espaldas al suelo, las piernas disparaban la pelota hacia atrás, en un repentino vaivén de hojas de tijera.

Pero esta acrobacia se llamó *la chilena* unos cuantos años después, en 1927, cuando el club Colo-Colo viajó a Europa y el delantero David Arellano la exhibió en los estadios de España. Los periodistas españoles celebraron el esplendor de la desconocida cabriola, y la bautizaron así porque de Chile había venido, como las fresas y la cueca.

Después de varios goles volanderos, Arellano murió en aquel año, en el estadio de Valladolid, por un encontronazo fatal con un zaguero.

# Scarone

Cuarenta años antes que los brasileños Pelé y Coutinho, los uruguayos Scarone y Cea desbordaban las zagas rivales con sus pases de primera y en zigzag, que iban y venían de uno al otro en el camino hacia la meta, tuya y mía, cortita y al pie, pregunta y respuesta, respuesta y pregunta: la pelota rebotaba sin detenerse, como en una pared. Ya se llamaba *la pared*, en aquellos años, a esa manera rioplatense de atacar.

Héctor Scarone servía pases como ofrendas y hacía goles con una puntería que afilaba, en las prácticas, volteando botellas desde treinta metros. Y aunque era más bien petiso, en el juego de alto los madrugaba a todos. Scarone sabía flotar en el aire, violando la ley de gravedad: cuando saltaba en busca de la pelota, allá arriba se desprendía de sus adversarios dando una vuelta que lo dejaba de cara al arco, y entonces cabeceaba al gol.

Lo llamaban *el Mago*, porque sacaba goles de la galera, y también le decían el *Gardel del fútbol*, porque jugando cantaba como nadie.

# Gol de Scarone

Fue en 1928, en la final de la Olimpíada. Uruguay y Argentina iban empatados, cuando Píriz peló la pelota a Tarasconi y avanzó hacia el área. Borjas la recibió de espaldas al arco y se la cabeceó a Scarone, al grito de *tuya, Héctor*, y Scarone la pateó al pique y de voleo. El arquero argentino, Bossio, se tiró en paloma, cuando ya la pelota se había estrellado contra la red. La pelota rebotó en la red y volvió, picando, a la cancha. El puntero uruguayo Figueroa volvió a meterla, castigándola de una patada, porque eso de salirse era mala educación.

## Las fuerzas ocultas

Un jugador uruguayo, Adhemar Canavessi, se sacrificó para conjurar el daño de su propia presencia en la final de la Olimpíada del 28, en Ámsterdam. Uruguay iba a disputar esa final contra Argentina. Canavessi decidió quedarse en el hotel y se bajó del autobús que llevaba a los jugadores al estadio. Todas las veces que él había enfrentado a los argentinos, la selección uruguaya había perdido, y en la última ocasión él había tenido la mala pata de hacerse un gol en contra. En el partido de Ámsterdam, sin Canavessi, Uruguay ganó.

El día anterior, Carlos Gardel había cantado para los jugadores argentinos en el hotel donde se hospedaban. Para darles suerte, había estrenado un tango llamado *Dandy*. Dos años después, se repitió la historia: Gardel volvió a cantar *Dandy* deseando éxito a la selección argentina. Esa segunda vez fue en vísperas de la final del Mundial del 30, que también ganó Uruguay.

Muchos juran que la intención estaba fuera de toda sospecha, pero más de uno cree que ahí tenemos la prueba de que Gardel era uruguayo.

# Gol de Nolo

Fue en 1929. La selección argentina enfrentaba a Paraguay. Nolo Ferreira traía la pelota desde lejos. Venía abriéndose camino, apilando gente, hasta que de buenas a primeras se encontró de cara a toda la defensa, que formaba un muro. Entonces Nolo se detuvo. Y allí, parado, se puso a pasear la pelota de un pie a otro, de uno a otro empeine, sin que ella tocara el suelo. Y los adversarios balanceaban la cabeza de izquierda a derecha y de derecha a izquierda, todos a la vez, hipnotizados, clavada la vista en el péndulo de la pelota. Duró siglos aquel vaivén, hasta que Nolo encontró el hueco y de pronto disparó: la pelota atravesó la muralla y sacudió la red.

Los agentes de la policía montada se bajaron de los caballos para felicitarlo. En la cancha había veinte mil personas, pero todos los argentinos juran que estuvieron allí.

# El Mundial del 30

Un terremoto sacudía el sur de Italia enterrando a mil quinientos napolitanos, Marlene Dietrich interpretaba *El ángel azul*, Stalin culminaba su usurpación de la revolución rusa, se suicidaba el poeta Vladimir Maiacovski. Los ingleses arrojaban a la cárcel a Mahatma Gandhi, que exigiendo independencia y queriendo patria había paralizado a la India, mientras bajo las mismas banderas Augusto César Sandino alzaba a los campesinos de Nicaragua en las otras Indias, las nuestras, y los *marines* norteamericanos intentaban vencerlo por hambre incendiando las siembras.

En los Estados Unidos había quien bailaba el reciente *boogie-woogie*, pero la euforia de los locos años veinte había sido noqueada por los feroces golpes de la crisis del 29. La Bolsa de Nueva York había caído a pique y en su derrumbe había volteado los precios internacionales y estaba arrastrando al abismo a varios gobiernos latinoamericanos. En el despeñadero de la crisis mundial, la ruina del precio del estaño tumbaba al presidente Hernando Siles, en Bolivia, y colocaba en su lugar a un general, mientras el desplome de los precios de la carne y el trigo derribaba al presidente Hipólito Yrigoyen, en la Argentina, y en su lugar instalaba a otro general. En la República Dominicana, la caída del precio del azúcar abría el largo ciclo de la dictadura del también general Rafael Leónidas Trujillo, que inauguraba su poder bautizando con su nombre a la capital y al puerto.

En el Uruguay, el golpe de Estado iba a estallar tres años después. En 1930, el país sólo tenía ojos y oídos para el primer Campeonato Mundial de Fútbol. Las victorias uruguayas en las dos últimas olimpíadas, disputadas en Europa, habían convertido al Uruguay en el inevitable anfitrión del primer torneo.

Doce naciones llegaron al puerto de Montevideo. Toda Europa estaba invitada, pero sólo cuatro seleccionados europeos atravesaron el océano hacia estas playas del sur:

—*Eso está muy lejos de todo* —decían en Europa— *y el pasaje sale caro.*

Un barco trajo desde Francia el trofeo Jules Rimet, acompañado por el propio don Jules, presidente de la FIFA, y por la selección francesa de fútbol, que vino a regañadientes.

Uruguay estrenó con bombos y platillos un monumental escenario construido en ocho meses. El estadio se llamó Centenario, para celebrar el cumpleaños de la Constitución que un siglo antes había negado los derechos civiles a las mujeres, a los analfabetos y a los pobres. En las tribunas no cabía un alfiler cuando Uruguay y Argentina disputaron la final del campeonato. El estadio era un mar de sombreros de fieltro. También los fotógrafos usaban sombreros, y cámaras con trípode. Los arqueros llevaban gorras y el juez lucía un bombachudo negro que le cubría las rodillas.

La final del Mundial del 30 no mereció más que una columna de veinte líneas en el diario italiano *La Gazzetta dello Sport*. Al fin y al cabo, se estaba repitiendo la historia de las Olimpíadas de Ámsterdam, en 1928: los dos países del Río de la Plata ofendían a Europa mostrando dónde estaba el mejor fútbol del mundo.

Como en el 28, Argentina quedó en segundo lugar. Uruguay, que iba perdiendo 2 a 1 en el primer tiempo, acabó ganando 4 a 2 y se consagró campeón. Para arbitrar la final, el belga John Langenus había exigido un seguro de vida, pero no ocurrió nada más grave que algunas trifulcas en las gradas. Después, un gentío apedreó el consulado uruguayo en Buenos Aires.

El tercer lugar del campeonato correspondió a los Estados Unidos, que contaban en sus filas con unos cuantos jugadores escoceses recién nacionalizados, y el cuarto puesto fue para Yugoslavia.

Ni un solo partido terminó empatado. El argentino Stábile encabezó la tabla de goleadores, con ocho tantos, seguido por el uruguayo Cea, con cinco. El francés Louis Laurent hizo el primer gol de la historia de los mundiales, jugando contra México.

## Nasazzi

No lo pasaban ni los rayos x. Lo llamaban *el Terrible*.
—*La cancha es un embudo* —decía—. *Y en la boca del embudo, está el área.*
Allí, en el área, mandaba él.

José Nasazzi, capitán de las selecciones uruguayas del 24, del 28 y del 30, fue el primer caudillo del fútbol uruguayo. Él era el molino de viento de todo el equipo, que funcionaba al ritmo de sus gritos de alerta, rezongo y aliento. Nunca nadie le escuchó una queja.

# Camus

En 1930, Albert Camus era el san Pedro que custodiaba la puerta del equipo de fútbol de la Universidad de Argel. Se había acostumbrado a jugar de guardameta desde niño, porque ése era el puesto donde menos se gastaban los zapatos. Hijo de casa pobre, Camus no podía darse el lujo de correr por las canchas: cada noche, la abuela le revisaba las suelas y le pegaba una paliza si las encontraba gastadas.

Durante sus años de arquero, Camus aprendió muchas cosas:

—*Aprendí que la pelota nunca viene hacia uno por donde uno espera que venga. Eso me ayudó mucho en la vida, sobre todo en las grandes ciudades, donde la gente no suele ser lo que se dice derecha.*

También aprendió a ganar sin sentirse Dios y a perder sin sentirse basura, sabidurías difíciles, y aprendió algunos misterios del alma humana, en cuyos laberintos supo meterse después, en peligroso viaje, a lo largo de sus libros.

# Los implacables

Uno de los uruguayos campeones del mundo, *Perucho* Petrone, se marchó a Italia. Debutó en 1931, en el club Fiorentina: esa tarde, Petrone metió once goles.

En Italia, poco duró. Él fue el goleador del campeonato italiano, y la Fiorentina le ofreció lo que quisiera pedir; pero Petrone se cansó muy pronto de las fanfarrias del fascismo en ascenso. El hastío y la nostalgia lo devolvieron a Montevideo, donde siguió haciendo sus goles de tierra arrasada durante un tiempito. No había cumplido treinta años cuando tuvo que dejar el fútbol. La FIFA lo obligó, porque no había cumplido su contrato con la Fiorentina.

Dicen que Petrone era capaz de voltear una pared de un pelotazo. Quién sabe. Está comprobado, eso sí, que desmayaba a los arqueros y perforaba las redes.

Mientras tanto, en la otra orilla del Río de la Plata, el argentino Bernabé Ferreyra también disparaba cañonazos con furias de poseído. Hinchas de todos los clubes acudían a ver a *la Fiera*, que pateaba desde muy lejos, atravesaba las defensas y metía la pelota con arquero y todo.

Antes y después de los partidos, y también durante el descanso, los altavoces trasmitían un tango compuesto en homenaje a su artillería. En 1932, el diario *Crítica* ofreció un premio de mucho dinero al arquero que fuera capaz de impedir que Bernabé le clavara un gol. Y una tarde de aquel año, Bernabé tuvo que descalzarse ante los periodistas para mostrar que no escondía ninguna barra de hierro en la punta de los zapatos.

# El profesionalismo

A unque está en crisis, el fútbol figura, todavía, entre las diez industrias más importantes de Italia. Los recientes escándalos judiciales, *manos limpias, pies limpios*, han puesto en aprietos a los dirigentes de los clubes más poderosos, pero el fútbol italiano sigue siendo un imán para los jugadores sudamericanos. Ya era la Meca en los lejanos tiempos de Mussolini. En ningún lugar del mundo se pagaba tanto. Los jugadores amenazaban: «Me voy para Italia», y ese abracadabra aflojaba los cordones de la bolsa de los clubes. Algunos se iban de verdad: los navíos llevaban jugadores desde Buenos Aires, Montevideo, San Pablo y Río de Janeiro: si no tenían padres o abuelos italianos, en Roma había quienes se los fabricaban en el acto y de medida, para documentar su pronta nacionalización.

El éxodo de jugadores fue una de las causas del nacimiento del fútbol profesional en nuestros países. En 1931, se profesionalizó el fútbol argentino, y al año siguiente el uruguayo. En Brasil, el régimen profesional empezó en 1934. Entonces se legalizaron los pagos, que antes se hacían por debajo de la mesa, y el jugador se convirtió en trabajador. El contrato lo ataba al club a tiempo completo y de por vida y no podía cambiar de lugar de trabajo si su club no lo vendía. El jugador entregaba su energía a cambio de un salario, como el obrero industrial, y quedaba prisionero como el siervo de la gleba. Sin embargo, en aquellos primeros tiempos, el fútbol profesional exigía mucho menos. Sólo había dos horas semanales de entrenamiento obligatorio. En Argentina, pagaba una multa de cinco pesos quien faltaba a la práctica sin justificación médica.

# El Mundial del 34

Johnny Weissmüller lanzaba su primer aullido de Tarzán, el primer desodorante industrial aparecía en el mercado, la policía de Louisiana acribillaba a balazos a Bonnie and Clyde. Bolivia y Paraguay, los dos países más pobres de América del Sur, se desangraban disputando el petróleo del Chaco en nombre de la Standard Oil y la Shell. Sandino, que había vencido a los *marines* en Nicaragua, caía acribillado en una emboscada y Somoza, el asesino, iniciaba su dinastía. Mao desataba la larga marcha de la revolución en los campos de China. En Alemania, Hitler se consagraba *Führer* del Tercer Reich y promulgaba la ley en defensa de la raza aria, que obligaba a esterilizar a los enfermos hereditarios y a los criminales, mientras Mussolini inauguraba, en Italia, el segundo Campeonato Mundial de Fútbol.

Los carteles del campeonato mostraban un hércules que hacía el saludo fascista con una pelota a sus pies. El Mundial del 34 en Roma fue, para *il Duce*, una gran operación de propaganda. Mussolini asistió a todos los partidos desde el palco de honor, el mentón alzado hacia las tribunas repletas de camisas negras, y los once jugadores del equipo italiano le dedicaron sus victorias con la palma extendida.

Pero el camino hacia el título no resultó fácil. El partido entre Italia y España fue el más triturador de la historia de los mundia-

les: la batalla duró 210 minutos y terminó al día siguiente, cuando varios jugadores habían quedado fuera de combate por heridas de guerra o porque ya no daban más. Ganó Italia, sin cuatro de sus jugadores titulares. España terminó con siete titulares menos. Entre los españoles lastimados, estaban los dos mejores: el atacante Lángara y el arquero Zamora, el que hipnotizaba en el área.

En el estadio del Partido Nacional Fascista, Italia disputó contra Checoslovaquia la final del campeonato. Ganó en el alargue, 2 a 1. Dos jugadores argentinos, recién nacionalizados italianos, aportaron lo suyo: Orsi metió el primer gol, gambeteando al arquero, y otro argentino, Guaita, sirvió el pase del gol de Schiavio que brindó a Italia su primera Copa mundial.

En el 34, participaron dieciséis países: doce europeos, tres americanos y Egipto, solitario representante del resto del mundo. El campeón, Uruguay, se negó a viajar, porque Italia no había venido al primer Mundial en Montevideo.

Detrás de Italia y Checoslovaquia, Alemania y Austria ganaron el tercer y cuarto puesto. El jugador checoslovaco Nejedly fue el goleador, con cinco tantos, seguido por Conen, de Alemania, y Schiavio, de Italia, con cuatro.

# Dios y el Diablo en Río de Janeiro

Una noche de mucha lluvia, mientras moría el año 1937, un hincha enemigo enterró un sapo en el campo de juego del club Vasco da Gama y lanzó su maldición:

—*¡Que el Vasco no salga campeón en doce años! ¡Que no salga, si hay un Dios en los cielos!*

Arubinha se llamaba este hincha de un cuadro humilde, que el Vasco da Gama había goleado 12 a 0. Escondiendo un sapo, de boca cosida, en tierras del vencedor, Arubinha estaba castigando el abuso.

Durante años, hinchas y dirigentes buscaron el sapo en la cancha y en sus alrededores. Nunca lo encontraron. Acribillado de pozos, aquello era un paisaje de la luna. El Vasco da Gama contrataba a los mejores jugadores de Brasil, organizaba los equipos más poderosos, pero seguía condenado a perder.

Por fin, en 1945, el club ganó el trofeo de Río y rompió la maldición. Había salido campeón, por última vez, en 1934. Once años de sequía:

—*Dios nos hizo un descuentito* —declaró el presidente.

Tiempo después, en 1953, el que estaba con problemas era el Flamengo, el club más popular de Río de Janeiro y de todo el Brasil, el único que juegue donde juegue, juega siempre de local. El Flamengo llevaba nueve años sin ganar el campeonato. La hinchada, la más numerosa y fervorosa del mundo, se moría de hambre. Entonces un sacerdote católico, el padre Goes, garantizó la victoria a cambio de que los jugadores asistieran a su misa, antes de cada partido, y rezaran el rosario de rodillas ante el altar.

Así, Flamengo conquistó la copa tres años seguidos. Los clubes rivales protestaron ante el cardenal Jaime Cámara: el Flamengo estaba usando armas prohibidas. El padre Goes se defendió alegando que él no hacía más que alumbrar el camino del Señor, y continuó rezando a los jugadores su rosario de cuentas rojas y negras, que son los colores del Flamengo y de una divinidad africana que al mismo tiempo encarna a Jesús y a Satanás. Pero al cuarto año, el Flamengo perdió el campeonato. Los jugadores dejaron de ir a misa y nunca más rezaron el rosario. El padre Goes pidió ayuda al Papa de Roma, que no le contestó.

El padre Romualdo, en cambio, obtuvo permiso del Papa para hacerse socio del Fluminense. El cura asistía a todos los entrenamientos. A los jugadores no les caía nada bien. Hacía doce años que el Fluminense no ganaba el trofeo de Río y era de mal agüero este pajarraco de negro plumaje parado a la orilla de la cancha. Los jugadores lo insultaban, ignorando que el padre Romualdo era sordo de nacimiento.

Un buen día, el Fluminense empezó a ganar. Conquistó un campeonato, y otro, y otro. Los jugadores ya no podían practicar si no lo hacían a la sombra del padre Romualdo. Después de cada gol, le besaban la sotana. Los fines de semana, el cura asistía a los partidos desde el palco de honor y balbuceaba quién sabe qué cosas contra el juez y los rivales.

# Las fuentes de la desgracia

Todo el mundo sabe que da mala suerte pisar un sapo, pisar la sombra de un árbol, pasar por debajo de una escalera, sentarse al revés, dormir al revés, abrir el paraguas bajo techo, contarse los dientes o romper un espejo. Pero en los dominios del fútbol, esa lista se queda muy corta.

Carlos Bilardo, director técnico de la selección argentina en los Mundiales del 86 y del 90, no permitía que sus jugadores comieran carne de pollo, que les daba mala suerte, y los obligaba a comer carne de vaca, que les daba ácido úrico.

Silvio Berlusconi, el dueño del Milan, prohibió que la hinchada cantara el himno del club, el tradicional cántico *Milan, Milan*, porque trasmitía ondas maléficas que paralizaban las piernas de los jugadores, y en 1987 mandó componer un himno nuevo, que se tituló *Milan dei nostri cuori*.

Freddy Rincón, el gigante negro de la selección de Colombia, defraudó a sus numerosos admiradores en el Mundial del 94. Él jugó sin poner ni un poquito de entusiasmo. Después se supo que no había sido un problema de falta de ganas, sino de exceso de miedo. Un profeta de Buenaventura, la tierra de Rincón en la costa colombiana, le había cantado los resultados del torneo, que se dieron exactamente como predijo, y le había anunciado que se rompería una pierna si no tenía mucho, mucho cuidado. «Cuídate de la pecosa», le dijo, refiriéndose a la pelota, «y de la hepática, y de la sangrienta», aludiendo a la tarjeta amarilla y a la tarjeta roja de los árbitros.

En vísperas de la final de ese Mundial del 94, los especialistas italianos en ciencias ocultas garantizaron que su país ganaría la Copa. «Numerosos maleficios de magia negra impedirán la victoria de Brasil», aseguró a la prensa la Asociación Italiana de Magos. El resultado no contribuyó al prestigio de esta institución gremial.

# Talismanes y conjuros

Muchos jugadores entran a la cancha con el pie derecho y haciendo la señal de la cruz. También hay quienes se van derechito al arco vacío y meten un gol, o besan los postes. Otros tocan el césped y se llevan la mano a los labios.

Con frecuencia se ve que el jugador lleva medallita al cuello y, atada a la muñeca, alguna cinta de protección mágica. Si tira desviado el penal, es porque alguien le ha escupido la pelota. Si desperdicia un gol hecho, es porque algún brujo ha cerrado el arco enemigo. Si pierde el partido, es porque ha regalado la camiseta de la última victoria.

El arquero argentino Amadeo Carrizo llevaba ocho partidos con su valla invicta, gracias a los poderes de una gorra que tenía puesta a sol y sombra. Aquella gorra exorcizaba a los demonios del gol. Una tarde, Ángel Clemente Rojas, jugador de Boca Juniors, le robó la gorra. Carrizo, despojado de su talismán, recibió dos goles, y River perdió el partido.

Un protagonista del fútbol español, Pablo Hernández Coronado, ha contado que cuando el Real Madrid amplió su cancha, pasó seis años sin ganar el campeonato, hasta que el maleficio fue vencido por un hincha que enterró una cabeza de ajo en el centro del campo de juego. El célebre delantero del club Barcelona, Luis Suárez, no creía en maldiciones, pero en cambio sabía que iba a meter unos cuantos goles cada vez que se le derramaba el vino mientras comía.

Para invocar a los malignos espíritus de la derrota, los hinchas arrojan sal al campo enemigo. Para espantarlos, siembran el campo propio con puñados de pepitas de trigo o granos de arroz. Otros encienden velas, ofrecen aguardiente a la tierra o echan flores a la mar. Hay hinchas que suplican protección a Jesús de Nazaret y a las almas benditas que murieron quemadas, ahogadas o perdidas, y en varios lugares se ha comprobado que las lanzas de san Jorge y su gemelo africano Ogum son muy eficaces contra el dragón del mal de ojo.

Las gentilezas se agradecen. Los hinchas favorecidos por los dioses trepan de rodillas las cuestas de altos cerros, envueltos en la bandera del club, o pasan el resto de sus días susurrando el millón de rosarios que han jurado rezar. Cuando el club Botafogo se coronó campeón en 1957, Didí salió de la cancha sin pasar por el vestuario y así, con sus ropas de fútbol, pagó la promesa que había hecho a su santo patrono: atravesó a pie la ciudad de Río de Janeiro, de punta a punta.

Pero las divinidades no siempre disponen del tiempo necesario para acudir en socorro de los futboleros atormentados por la desgracia. La selección de México había llegado al Mundial del 30 abrumada por los pronósticos pesimistas. En vísperas del partido contra Francia, el entrenador mexicano, Juan Luqué de Serrallonga, dirigió un mensaje de aliento a los jugadores reunidos en su hotel de Montevideo: les aseguró que la Virgen de Guadalupe estaba rezando por ellos allá en la patria, en el cerro de Tepeyac.

El entrenador no estaba bien informado sobre las múltiples actividades de la Virgen. Francia les metió cuatro goles y México entró último en el campeonato.

⚽ ⚽ ⚽ ⚽ ⚽ ⚽ ⚽ ⚽ ⚽ ⚽ ⚽ ⚽ ⚽ **75**

# Erico

En plena guerra del Chaco, mientras los campesinos de Bolivia y Paraguay marchaban al matadero, los futbolistas paraguayos jugaban fuera de fronteras recogiendo dinero para los muchos heridos, que caían sin amparo en un desierto donde no cantaban los pájaros ni dejaba huellas la gente. Así llegó Arsenio Erico a Buenos Aires, y en Buenos Aires se quedó. Fue paraguayo el máximo goleador del campeonato argentino en todos los tiempos. Erico metía más de cuarenta goles por temporada.

Él tenía, escondidos en el cuerpo, resortes secretos. Saltaba el muy brujo, sin tomar impulso, y su cabeza llegaba siempre más alto que las manos del arquero, y cuando más dormidas parecían sus piernas, con más fuerza descargaban de pronto latigazos al gol. Con frecuencia, Erico azotaba de taquito. No hubo taco más certero en la historia del fútbol.

Cuando Erico no hacía goles, los ofrecía, servidos, a sus compañeros. Cátulo Castillo le dedicó un tango:

*Pasará un milenio sin que nadie*
*repita tu proeza*
*del pase de taquito o de cabeza.*

Y todo lo hacía con elegancia de bailarín. «Es Nijinski», comprobó el escritor francés Paul Morand, cuando lo vio jugar.

# El Mundial del 38

Max Theiler descubría la vacuna contra la fiebre amarilla, nacía la fotografía en colores, Walt Disney estrenaba *Blancanieves*, Eisenstein filmaba *Alejandro Nevski*. El nailon, recién inventado por un profesor de Harvard, empezaba a convertirse en paracaídas y medias de mujer.

Se suicidaban los poetas argentinos Alfonsina Storni y Leopoldo Lugones. Lázaro Cárdenas nacionalizaba el petróleo en México y enfrentaba el bloqueo y otras furias de las potencias occidentales. Orson Welles inventaba una invasión de los marcianos a los Estados Unidos y la trasmitía por radio, para asustar incautos, mientras la Standard Oil exigía que los Estados Unidos invadieran México de verdad, para castigar el sacrilegio de Cárdenas y prevenir el mal ejemplo.

En Italia se redactaba el *Manifiesto sobre la raza*, empezaban los atentados antisemitas, Alemania ocupaba Austria, Hitler se dedicaba a cazar judíos y a devorar territorios. El gobierno inglés enseñaba a los ciudadanos a defenderse de los gases asfixiantes y mandaba acopiar alimentos. Franco acorralaba los últimos bastiones de la república española y el Vaticano reconocía su gobierno. César Vallejo moría en París, quizás con aguacero, mientras Sartre publicaba *La náusea*. Y ahí, en París, donde Picasso exhibía su

*Guernica* denunciando el tiempo de la infamia, se inauguraba el tercer Campeonato Mundial de Fútbol bajo la sombra acechante de la guerra que se venía. En el estadio de Colombes, el presidente de Francia, Albert Lebrun, dio el puntapié inicial: apuntó a la pelota, pero pegó en el suelo.

Como el anterior, éste fue un campeonato de Europa. Sólo dos países americanos, y once europeos, participaron en el Mundial del 38. La selección de Indonesia, que todavía se llamaba Indias Holandesas, llegó a París en solitaria representación de todo el resto del planeta.

Alemania incorporó cinco jugadores de la recién anexada Austria. La escuadra alemana así reforzada irrumpió dándose aires de muy imbatible, con la cruz esvástica en el pecho y toda la simbología nazi del poder, pero tropezó y cayó ante la modesta Suiza. La derrota alemana ocurrió pocos días antes de que la supremacía aria sufriera un duro golpe en Nueva York, cuando el boxeador negro Joe Louis pulverizó al campeón germano Max Schmeling.

Italia, en cambio, repitió su campaña de la Copa anterior. En las semifinales, los *azzurri* derrotaron al Brasil. Hubo un penal dudoso, los brasileños protestaron en vano. Como en el 34, todos los árbitros eran europeos.

Después llegó la final, que Italia disputó contra Hungría. Para Mussolini, este triunfo era una cuestión de Estado. En la víspera, los jugadores italianos recibieron, desde Roma, un telegrama de tres palabras, firmado por el jefe del fascismo: *Vencer o morir*. No hubo necesidad de morir, porque Italia ganó 4 a 2. Al día siguiente, los vencedores vistieron uniforme militar en la ceremonia de celebración, que el *Duce* presidió.

El diario *La Gazzetta dello Sport* exaltó entonces «la apoteosis del deporte fascista en esta victoria de la raza». Poco antes, la prensa oficial italiana había celebrado así la derrota de la selección brasileña: «Saludamos el triunfo de la itálica inteligencia sobre la fuerza bruta de los negros».

La prensa internacional eligió, mientras tanto, a los mejores jugadores del torneo. Entre ellos, dos negros, los brasileños Leônidas y Domingos da Guia. Leônidas fue, además, el goleador, con ocho tantos, seguido por el húngaro Zsengeller, con siete. De los goles de Leônidas, el más hermoso fue hecho contra Polonia, a pie descalzo. Leônidas había perdido el zapato, en el barro del área, bajo la lluvia torrencial.

## Gol de Meazza

Fue en el Mundial del 38. En las semifinales, Italia y Brasil jugaban su suerte a todo o nada.

El atacante italiano Piola se desplomó de pronto, como fulminado de un balazo, y con su único dedo vivo señaló al defensa brasileño Domingos da Guia. El árbitro suizo le creyó, sonó el silbato: penal. Mientras los brasileños ponían el grito en el cielo y Piola se levantaba sacudiéndose el polvo, Giuseppe Meazza colocó la pelota en el punto de fusilamiento.

Meazza era el galán del cuadro. Petiso pintón y enamorado, elegante artillero de penales, alzaba la cabeza invitando al arquero, como el matador de toros en el lance final. Y sus pies, flexibles y sabios como manos, jamás se equivocaban. Pero Walter, el guardameta brasileño, era un buen atajador de penales, y se tenía fe.

Meazza tomó impulso, y en el preciso momento en que iba a asestar el golpe, se le cayó el pantalón. El público quedó estupefacto y el árbitro casi se tragó el pito. Pero Meazza, sin detenerse, atrapó el pantalón de un manotazo y venció al arquero desarmado por la risa.

Ése fue el gol que lanzó a Italia a la final del campeonato.

# Leônidas

Tenía el tamaño, la velocidad y la malicia de un mosquito. En el Mundial del 38, un periodista francés, de la revista *Match*, le contó seis piernas, y opinó que tener tantas piernas era cosa de magia negra. Yo no sé si el periodista francés habrá advertido que, para colmo, las muchas piernas de Leônidas podían estirarse varios metros y se doblaban o se anudaban de diabólica manera.

Leônidas da Silva entró a la cancha el día que Arthur Friedenreich, ya cuarentón, se retiró. Él recibió el cetro del viejo maestro. Al poco tiempo, ya su nombre era marca de cigarrillos y de chocolates. Recibía más cartas que un artista de cine: las cartas le pedían una foto, un autógrafo o un empleo público.

Leônidas hizo muchos goles, que nunca contó. Unos cuantos fueron cometidos desde el aire, los pies girando, cabeza abajo, de espaldas al arco: él fue muy diestro en las acrobacias de la chilena, que los brasileños llaman *bicicleta*.

Los goles de Leônidas eran tan lindos que hasta el arquero vencido se levantaba para felicitarlo.

# Domingos

Al este, la Muralla China. Al oeste, Domingos da Guia. No hubo zaguero más sólido en toda la historia del fútbol. Domingos fue campeón en cuatro ciudades, Río de Janeiro, San Pablo, Montevideo, Buenos Aires, y fue por las cuatro adorado: cuando él jugaba, se llenaban los estadios.

Antes, los zagueros se pegaban a los delanteros como sellos y se desprendían de la pelota como si les quemara los pies, pateándola cuanto antes al alto cielo. Domingos, en cambio, dejaba pasar al rival, vana embestida, mientras le robaba la pelota, y después se tomaba todo el tiempo del mundo para sacar la pelota de la zona de peligro. Hombre de estilo imperturbable, todo lo hacía silbando y mirando para otro lado. Él despreciaba la velocidad. Jugaba en cámara lenta, maestro del suspenso, gozador de la lentitud: se llamó *domingada* al arte de salir del área a toda calma, como él hacía, desprendiéndose de la pelota sin correr y sin querer, porque le daba pena quedarse sin ella.

## Domingos y ella

*É*sta aquí, la pelota, me ayudó mucho. Ella, o las hermanas de ella, ¿no? Es una familia que yo le tengo gratitud. En mi pasaje por la tierra, ella fue lo principal. Porque sin ella, nadie juega. Yo comencé en la fábrica Bangú. Trabajando, trabajando, hasta que encontré a mi amiga. Y yo fui muy feliz con ésa ahí.

Conozco el mundo entero, viajé mucho, muchas mujeres. Las mujeres también son cosa gustosa, ¿no?

(Testimonio recogido por Roberto Moura)

**83**

# Gol de Atilio

Fue en 1939. Nacional de Montevideo y Boca Juniors de Buenos Aires iban empatados en dos goles y el partido estaba llegando a su fin. Los de Nacional atacaban; los de Boca, replegados, aguantaban. Entonces Atilio García recibió la pelota, enfrentó una jungla de piernas, abrió espacio por la derecha y se tragó la cancha comiendo rivales.

Atilio estaba acostumbrado a los hachazos. Le daban con todo, sus piernas eran un mapa de cicatrices. Aquella tarde, en el camino al gol, recibió trancazos duros de Angeletti y Suárez, y él se dio el lujo de eludirlos dos veces. Valussi le desgarró la camisa, lo agarró de un brazo y le tiró una patada y el corpulento Ibáñez se le plantó delante en plena carrera, pero la pelota formaba parte del cuerpo de Atilio y nadie podía parar esa tromba que volteaba jugadores como si fueran muñecos de trapo, hasta que por fin Atilio se desprendió de la pelota y su disparo tremebundo sacudió la red.

El aire olía a pólvora. Los jugadores de Boca rodearon al árbitro: le exigían que anulara el gol por las faltas que *ellos* habían cometido. Como el árbitro no les hizo caso, los jugadores se retiraron, indignados, de la cancha.

# El beso perfecto quiere ser único

Son varios los argentinos que juran, la mano sobre el corazón, que fue Enrique García, *el Chueco*, puntero izquierdo de Racing. Y son varios los uruguayos que juran, los dedos en cruz sobre los labios, que fue Pedro Lago, *el Mulero*, delantero de Peñarol. Fue uno, fue otro, o fueron los dos.

Hace medio siglo, o más, cuando Lago o García metían un gol perfecto, de esos que dejan a los rivales paralíticos de rabia o de admiración, recogían la pelota del fondo de la red y con ella bajo el brazo desandaban su camino, paso a paso, arrastrando los pies: así, levantando polvo, borraban sus huellas, para que nadie les copiara la jugada.

# La Máquina

A principios de la década del 40, el club argentino River Plate formó uno de los mejores equipos de fútbol de todos los tiempos.

«Unos entran, otros salen, todos suben, todos bajan», explicaba Carlos Peucelle, uno de los padres de la criatura. En rotación permanente, los jugadores cambiaban de puesto entre sí, los defensores atacaban, los atacantes defendían: «En el pizarrón y en la cancha», decía Peucelle, «nuestro esquema táctico no es el tradicional 1-2-3-5. Es el 1-10».

Aunque todos hacían de todo, en aquel River sobresalía la línea delantera. Muñoz, Moreno, Pedernera, Labruna y Loustau sólo estuvieron juntos en dieciocho partidos, pero hicieron historia y siguen dando qué hablar. Los cinco jugaban a ciegas, entendiéndose por silbidos: silbando inventaban caminos en la cancha y silbando llamaban a la pelota, que como perrito alegre los seguía sin perderse jamás.

El público bautizó con el nombre de *la Máquina* a aquel legendario equipo, por la precisión de sus jugadas. Era un dudoso elogio. Nada tenían que ver con la frialdad mecánica esos atacantes que gozaban jugando y de tanto disfrutar se olvidaban de patear al arco. Más justa era la hinchada cuando los llamaba *Caballeros de la angustia*, porque estos jodones hacían sudar la gota gorda a sus devotos antes de brindarles el alivio del gol.

# Moreno

Lo llamaban *el Charro*, por su pinta de galán de cine mexicano, pero él venía de los potreros del riachuelo de Buenos Aires. José Manuel Moreno, el más querido de los jugadores de *la Máquina* de River, gozaba despistando: sus piernas piratas se lanzaban por aquí pero se iban por allá, su cabeza bandida prometía el gol a un palo y lo clavaba contra el otro.

Cuando algún rival lo planchaba de una patada, Moreno se levantaba sin protestar y sin pedir ayuda, y por lastimado que estuviera seguía jugando. Era orgulloso y fanfarrón, y era peleón, capaz de batirse a trompadas contra toda la hinchada enemiga y también contra la hinchada propia, que lo adoraba pero tenía la mala costumbre de insultarlo cada vez que River perdía.

Milonguero, amiguero, hombre de la noche de Buenos Aires, Moreno amanecía enredado en las melenas o acodado en los mostradores:

—*El tango* —decía— *es el mejor entrenamiento: llevas el ritmo, lo cambias en una corrida, manejas los perfiles, haces trabajo de cintura y de piernas.*

Los domingos al mediodía, antes de cada partido, devoraba una fuente de puchero de gallina y vaciaba más de una botella de vino tinto. Los dirigentes de River le ordenaron acabar con

aquella mala vida, indigna de un deportista profesional. Él hizo lo posible. No trasnochó durante toda una semana ni bebió nada más que leche y, entonces, jugó el peor partido de su vida. Cuando volvió a las andadas, el club lo suspendió. Sus compañeros hicieron huelga, en solidaridad con el bohemio incorregible, y River tuvo que jugar nueve jornadas con suplentes.

Elogio de la farra: Moreno fue uno de los jugadores de más larga duración en la historia del fútbol. Jugó durante veinte años en la primera división de varios clubes de Argentina, México, Chile, Uruguay y Colombia. En 1946, cuando regresó de México, la hinchada de River, loca por volver a ver sus corazonadas y sus amagues, no cupo en el estadio. Sus devotos voltearon las alambradas, invadieron la cancha: él hizo tres goles, lo sacaron en andas. En 1952, recibió una jugosa oferta del club Nacional de Montevideo, pero él prefirió jugar para otro club uruguayo, Defensor, un cuadro chico que podía pagarle poco o nada, porque en Defensor estaban sus amigos. Y aquel año, Moreno salvó a Defensor del descenso.

En 1961, ya retirado, era director técnico del Medellín de Colombia. El Medellín iba perdiendo un partido contra Boca Juniors de Argentina y los jugadores no encontraban el camino del arco. Entonces Moreno, que tenía 45 años, se desvistió, se metió en la cancha, hizo dos goles y el Medellín ganó.

# Pedernera

«**M**e ataié un penal que va a quedar para la historia de Leticia», contaba, en carta desde Colombia, un joven argentino. Se llamaba Ernesto Guevara, y todavía no era el Che. En 1952, él andaba a la ventura por los caminos de América. A orillas del río Amazonas, en Leticia, fue entrenador de un equipo de fútbol. A su compañero de viaje, Guevara lo llamaba *Pedernerita*. No tenía mejor manera de elogiarlo.

Adolfo Pedernera había sido el eje de *la Máquina* de River. Este hombre orquesta ocupaba todas las posiciones, de una punta a la otra de la línea de ataque. Desde atrás, generaba juego, metía pases por el ojo de la aguja, cambiaba de marcha, sorprendía en el pique; adelante, fulminaba arqueros.

Las ganas de jugar le hacían cosquillas en el cuerpo. No quería que los partidos terminaran nunca. Cuando caía la noche, los funcionarios intentaban, en vano, echarlo de los entrenamientos. Querían arrancarlo del fútbol, pero no podían, porque era el fútbol quien se negaba a desprenderse de él.

## Gol de Severino

Fue en 1943. Boca Juniors jugaba contra *la Máquina* de River el clásico del fútbol argentino.

Iba perdiendo Boca por un gol, cuando el árbitro pitó una falta a la orilla del área de River. Sosa pateó el tiro libre. No disparó al arco: sirvió un centro, buscando la cabeza de Severino Varela. La pelota llegó muy adelantada. La retaguardia de River la tenía fácil, Severino estaba lejos; pero el veterano atacante se despegó del suelo y viajando en el aire se metió entre varios defensores y conectó un boinazo fulminante que venció al arquero. Los hinchas lo llamaban *boina fantasma*, porque llegaba volando y aparecía sin invitación en la boca del arco. Severino ya tenía unos cuantos años encima y mucha nombradía en el club uruguayo Peñarol cuando llegó a Buenos Aires, con su invicta cara de niño travieso y su boina blanca pegada al cráneo.

En Boca, brilló. Pero al anochecer de cada domingo, después del partido, Severino se tomaba el barco y se volvía a Montevideo, al barrio, a los amigos y a su trabajo en la usina.

# Bombas

Mientras la guerra atormentaba al mundo, los diarios de Río de Janeiro anunciaron un bombardeo de Londres sobre la cancha del club Bangú. A mediados de 1943, se venía el partido contra el São Cristovão, y la hinchada del Bangú iba a lanzar cuatro mil cohetes al aire. El mayor bombardeo de la historia del fútbol.

Cuando los jugadores del Bangú entraron en la cancha, y se desataron aquellos truenos y relámpagos de la pólvora, el director técnico del São Cristovão trancó a sus jugadores en el vestuario y les metió tapones de algodón en los oídos. Mientras duró el coheterío, que mucho duró, tembló el piso del vestuario, y temblaron las paredes y también los jugadores: todos acurrucados, la cabeza entre las manos, muy apretados los dientes y muy cerrados los ojos, los jugadores sentían que la guerra mundial había llegado a casa. Temblando, llegaron a la cancha. El que no estaba epiléptico, sufría de malaria. El cielo estaba negro de pólvora. El club Bangú ganó por goleada.

Poco después, iban a disputar un partido las selecciones de Río de Janeiro y de San Pablo. Y otra vez hubo clima de guerra, y los diarios anunciaron un ataque contra Pearl Harbour, un cerco de Leningrado y otros cataclismos. Los paulistas sabían que en Río les esperaba el más feroz estrépito jamás escuchado. Entonces el director técnico de San Pablo tuvo una idea inteligentísima: en lugar de quedarse encerrados en el vestuario, sus jugadores iban a entrar al campo al mismo tiempo que los cariocas, para que el bombardeo, en lugar de asustarlos, les diera la bienvenida.

Y así fue, pero San Pablo perdió 6 a 1.

# El hombre que convirtió el hierro en viento

Eduardo Chillida era guardameta de la Real Sociedad, en la ciudad vasca de San Sebastián. Alto, enjuto, tenía una manera muy propia de atajar, y ya el club Barcelona y el Real Madrid le habían echado el ojo. Decían los expertos que ese muchacho iba a heredar a Zamora.

Pero otros planes tenía el destino. En 1943, un delantero rival, que por algo se llamaba Sañudo, le rompió los meniscos y todo lo demás. Al cabo de cinco operaciones en la rodilla, Chillida dijo adiós al fútbol y no tuvo más remedio que hacerse escultor.

Así nació uno de los grandes artistas del siglo. Chillida trabaja con materiales pesados, de esos que se hunden en la tierra, pero sus manos poderosas arrojan al aire el hierro y el hormigón, que volando descubren otros espacios y crean otras dimensiones. Antes, en el fútbol, él hacía lo mismo con su cuerpo.

# Una terapia de vínculo

Enrique Pichon-Rivière pasó toda su vida penetrando los misterios de la tristeza humana y ayudando a abrir las jaulas de la incomunicación.

En el fútbol encontró un aliado eficaz. Allá por los años cuarenta, Pichon-Rivière organizó un equipo de fútbol con sus pacientes del manicomio. Los locos, imbatibles en las canchas del litoral argentino, practicaban, jugando, la mejor terapia de socialización.

—*La estrategia del equipo de fútbol es mi tarea prioritaria* —decía el psiquiatra, que también era entrenador y goleador del cuadro.

Medio siglo después, los seres urbanos estamos todos más o menos locos, aunque casi todos vivimos, por razones de espacio, fuera del manicomio. Desalojados por los automóviles, arrinconados por la violencia, condenados al desvínculo, estamos cada vez más apilados y cada vez más solos y tenemos cada vez menos espacios de encuentro y menos tiempo para encontrarnos.

En el fútbol, como en todo lo demás, son mucho más numerosos los consumidores que los creadores. El cemento ha cubierto los campos baldíos donde cualquiera podía armar un picadito de fútbol en cualquier momento, y el trabajo ha devorado el tiempo de juego. La mayoría de la gente no juega sino que ve jugar a otros, desde el televisor o la tribuna cada vez más alejada de la cancha. El fútbol se ha convertido, como el carnaval, en espectáculo para masas. Pero así como en el carnaval hay quienes se lanzan a bailar a la calle además de contemplar a los artistas que bailan y cantan, también en el fútbol no faltan los espectadores que de vez en cuando se hacen protagonistas, por la pura alegría, además de mirar y admirar a los jugadores profesionales. Y no sólo los niños: mal que bien, por lejos que estén las canchas posibles, los amigos del barrio y los compañeros de la fábrica, la oficina o la facultad se las arreglan todavía para divertirse con la pelota hasta que caen agotados, y entonces vencedores y vencidos beben juntos, y fuman, y comparten una buena comilona, esos placeres que el deportista profesional tiene prohibidos.

A veces, también las mujeres participan, y meten sus propios goles, aunque en general la tradición machista las mantiene exiliadas de estas fiestas de la comunicación.

# Gol de Martino

Fue en 1946. El club uruguayo Nacional iba venciendo al argentino San Lorenzo y cerraba sus líneas de defensa ante las amenazas de René Pontoni y Rinaldo Martino. Estos jugadores habían ganado fama haciendo hablar a la pelota y tenían la mala costumbre de meter goles.

Martino llegó al borde del área. Allí se puso a pasear la pelota. Parecía que tenía todo el tiempo del mundo. De pronto Pontoni cruzó como rayo hacia la punta derecha. Martino se detuvo, alzó la cabeza, lo miró. Entonces los defensas de Nacional se echaron en masa sobre Pontoni y, mientras los galgos perseguían a la liebre, Martino entró en el área como Perico por su casa, eludió al zaguero que quedaba, tiró y fulminó.

El gol fue de Martino, pero también fue de Pontoni, que supo despistar.

## Gol de Heleno

Fue en 1947. Botafogo versus Flamengo, en Río de Janeiro. Heleno de Freitas, atacante del Botafogo, hizo un gol de pecho.

Heleno estaba de espaldas al arco. La pelota llegó de arriba. Él la paró con el pecho y se dio vuelta sin dejarla caer. Con el cuerpo en arco y la pelota en el pecho, enfrentó la situación. Entre el gol y él, una multitud. En el área de Flamengo había más gente que en todo Brasil. Si la pelota iba al suelo, estaba perdido. Y entonces Heleno se echó a caminar, siempre curvado hacia atrás, y con la pelota en el pecho atravesó tranquilamente las líneas enemigas. Nadie se la podía sacar sin cometer falta, y estaban en la zona de peligro. Cuando llegó a las puertas del arco, Heleno enderezó el cuerpo. La pelota se deslizó hacia sus pies. Y remató.

Heleno de Freitas tenía estampa de gitano, cara de Rodolfo Valentino y un humor de perro rabioso. En las canchas, resplandecía.

Una noche, perdió todo su dinero en el casino. Otra noche, perdió no se sabe dónde todas sus ganas de vivir. Y en la última noche murió, delirando, en un hospicio.

# El Mundial del 50

Nacía la televisión en colores, las computadoras hacían mil sumas por segundo, Marilyn Monroe asomaba en Hollywood. Una película de Buñuel, *Los olvidados*, se imponía en Cannes. El automóvil de Fangio triunfaba en Francia. Bertrand Russell ganaba el Nobel. Neruda publicaba su *Canto general* y aparecían las primeras ediciones de *La vida breve*, de Onetti, y de *El laberinto de la soledad*, de Octavio Paz. Albizu Campos, que mucho había peleado por la independencia de Puerto Rico, era condenado en Estados Unidos a setenta y nueve años de prisión. Un delator entregaba a Salvatore Giuliano, el legendario bandido del sur de Italia, que caía acribillado por la policía. En China, el gobierno de Mao daba sus primeros pasos prohibiendo la poligamia y la venta de niños. Las tropas norteamericanas entraban a sangre y fuego en la península de Corea, envueltas en la bandera de las Naciones Unidas, mientras los jugadores de fútbol aterrizaban en Río de Janeiro para disputar la cuarta Copa Rimet, después del largo paréntesis de los años de la guerra mundial.

Siete países americanos y seis naciones europeas, recién resurgidas de los escombros, participaron en el torneo brasileño del 50. La FIFA prohibió que jugara Alemania. Por primera vez, Inglaterra se hizo presente en el campeonato mundial. Hasta entonces, los ingleses no habían creído que tales escaramuzas fueran dignas

de sus desvelos. El combinado inglés cayó derrotado ante los Estados Unidos, créase o no, y el gol de la victoria norteamericana no fue obra del general George Washington sino de un centrodelantero haitiano y negro llamado Larry Gaetjens.

Brasil y Uruguay disputaron la final en Maracaná. El dueño de casa estrenaba el estadio más grande del mundo. Brasil era una fija, la final era una fiesta. Los jugadores brasileños, que venían aplastando a todos sus rivales de goleada en goleada, recibieron, en la víspera, relojes de oro que al dorso decían: *Para los campeones del mundo.* Las primeras páginas de los diarios se habían impreso por anticipado, ya estaba armado el inmenso carruaje de carnaval que iba a encabezar los festejos, ya se habían vendido medio millón de camisetas con grandes letreros que celebraban la victoria inevitable.

Cuando el brasileño Friaça convirtió el primer gol, un trueno de doscientos mil gritos y muchos cohetes sacudió al monumental estadio. Pero después Schiaffino clavó el gol del empate y un tiro cruzado de Ghiggia otorgó el campeonato a Uruguay, que acabó ganando 2 a 1. Cuando llegó el gol de Ghiggia, estalló el silencio en Maracaná, el más estrepitoso silencio de la historia del fútbol,

y Ary Barroso, el músico autor de *Aquarela do Brasil*, que estaba trasmitiendo el partido a todo el país, decidió abandonar para siempre el oficio de relator de fútbol.

Después del pitazo final, los comentaristas brasileños definieron la derrota como *la peor tragedia de la historia de Brasil*. Jules Rimet deambulaba por el campo, perdido, abrazado a la copa que llevaba su nombre:

—*Me encontré solo, con la copa en mis brazos y sin saber qué hacer. Terminé por descubrir al capitán uruguayo, Obdulio Varela, y se la entregué casi a escondidas. Le estreché la mano sin decir ni una palabra.*

En el bolsillo, Rimet tenía el discurso que había escrito, en homenaje al campeón brasileño.

Uruguay se había impuesto limpiamente: la selección uruguaya cometió once faltas y la brasileña, veintiuna.

El tercer puesto fue para Suecia. El cuarto, para España. El brasileño Ademir encabezó la tabla de goleadores, con nueve tantos, seguido por el uruguayo Schiaffino, con seis, y el español Zarra, con cinco.

# Obdulio

Yo era chiquilín y futbolero, y como todos los uruguayos estaba prendido a la radio, escuchando la final de la Copa del Mundo. Cuando la voz de Carlos Solé me trasmitió la triste noticia del gol brasileño, se me cayó el alma al piso. Entonces recurrí al más poderoso de mis amigos. Prometí a Dios una cantidad de sacrificios a cambio de que Él se apareciera en Maracaná y diera vuelta el partido.

Nunca conseguí recordar las muchas cosas que había prometido y por eso nunca pude cumplirlas. Además, la victoria de Uruguay ante la mayor multitud jamás reunida en un partido de fútbol había sido sin duda un milagro, pero el milagro había sido más bien obra de un mortal de carne y hueso llamado Obdulio Varela. Obdulio había enfriado el partido cuando se nos venía encima la avalancha, y después se había echado el cuadro entero al hombro y a puro coraje había empujado contra viento y marea.

Al fin de aquella jornada, los periodistas acosaron al héroe. Y él no se golpeó el pecho proclamando que somos los mejores y no hay quien pueda con la garra charrúa:

—*Fue casualidad* —murmuró Obdulio, meneando la cabeza. Y cuando quisieron fotografiarlo, se puso de espaldas.

Pasó esa noche bebiendo cerveza, de bar en bar, abrazado a los vencidos, en los mostradores de Río de Janeiro. Los brasileños lloraban. Nadie lo reconoció. Al día siguiente, huyó del gentío que lo esperaba en el aeropuerto de Montevideo, donde su nombre brillaba en un enorme letrero luminoso. En medio de la euforia, se escabulló disfrazado de Humphrey Bogart, con un sombrero metido hasta la nariz y un impermeable de solapas levantadas.

En recompensa por la hazaña, los dirigentes del fútbol uruguayo se otorgaron a sí mismos medallas de oro. A los jugadores les dieron medallas de plata y algún dinero. El premio que recibió Obdulio le alcanzó para comprar un Ford del año 31, que fue robado a la semana.

# Barbosa

A la hora de elegir al arquero del campeonato, los periodistas del Mundial del 50 votaron, por unanimidad, al brasileño Moacyr Barbosa. Barbosa era también, sin duda, el mejor arquero de su país, piernas con resortes, hombre sereno y seguro que trasmitía confianza al equipo, y siguió siendo el mejor hasta que se retiró de las canchas, tiempo después, con más de cuarenta años de edad. En tantos años de fútbol, Barbosa evitó quién sabe cuántos goles, sin lastimar jamás a ningún delantero. Pero en aquella final del 50, el atacante uruguayo Ghiggia lo había sorprendido con un certero disparo desde la punta derecha. Barbosa, que estaba adelantado, pegó un salto hacia atrás, rozó la pelota y cayó. Cuando se levantó, seguro de que había desviado el tiro, encontró la pelota al fondo de la red. Y ése fue el gol que apabulló al estadio de Maracaná y consagró campeón al Uruguay.

Pasaron los años y Barbosa nunca fue perdonado. En 1993, durante las eliminatorias para el Mundial de Estados Unidos, él quiso dar aliento a los jugadores de la selección brasileña. Fue a visitarlos a la concentración, pero las autoridades le prohibieron la entrada. Por entonces, vivía de favor en casa de una cuñada, sin más ingresos que una jubilación miserable. Barbosa comentó:

—*En Brasil, la pena mayor por un crimen es de treinta años de cárcel. Hace 43 años que yo pago por un crimen que no cometí.*

# Gol de Zarra

Fue en el Mundial del 50. España acosaba a Inglaterra, que sólo atinaba a tirar a puerta desde lejos.

El puntero Gaínza devoró la cancha por la izquierda, se voló a media defensa y cruzó la pelota hacia la valla inglesa. El zaguero Ramsey alcanzó a tocarla, de espaldas, a contrapierna, cuando arremetió Zarra y metió la pelota contra el poste izquierdo.

Telmo Zarra, goleador de España en seis campeonatos, heredero del torero Manolete en la pasión popular, jugaba con tres piernas. La tercera pierna era su cabeza fulminante. Fueron testarazos sus goles más famosos. Zarra no hizo de cabeza este gol de la victoria, pero lo gritó apretando entre las manos la medallita de la Inmaculada, que le colgaba del pecho.

El máximo dirigente del fútbol español, Armando Muñoz Calero, que había participado en la invasión nazi a tierras rusas, envió por radio un mensaje al generalísimo Franco:

—*Excelencia: hemos vencido a la pérfida Albión.*

Era la venganza por la aniquilación de la Armada Invencible, que había sido muy vencida en 1588, en las aguas del Canal de la Mancha.

Muñoz Calero dedicó el partido «al mejor Caudillo del mundo». No dedicó a nadie el partido siguiente, cuando España enfrentó a Brasil y recibió seis goles.

# Gol de Zizinho

Fue en el Mundial del 50. En el partido contra Yugoslavia, Zizinho, entreala de Brasil, hizo un gol bis.

Este señor de la gracia del fútbol había convertido un gol de limpia manera y el juez lo había anulado injustamente. Entonces él lo repitió igualito, paso a paso. Zizinho entró al área por el mismo lugar, esquivó al mismo defensa yugoslavo con la misma delicadeza, escapando por la izquierda como había hecho antes, y clavó la pelota exactamente en el mismo ángulo. Después la pateó con furia, varias veces, contra la red.

El árbitro comprendió que Zizinho era capaz de repetir aquel gol diez veces más, y no tuvo más remedio que aceptarlo.

## Los divertidos

Julio Pérez, uno de los campeones uruguayos del 50, me levantaba el ánimo cuando yo era niño. Lo llamaban *Pataloca*, porque se desarmaba en el aire y los rivales se restregaban los ojos: no podían creer que las piernas volaran por un lado y por el otro, lejos, el resto del cuerpo. Después de eludir a unos cuantos con esas moñas burlonas, Julio Pérez volvía atrás, a repetir diabluras. Los hinchas celebrábamos a este parrandero de las canchas, y gracias a él desatábamos la risa y todo lo atado.

Algunos años después, tuve la suerte de ver al brasileño Garrincha, que también disfrutaba haciendo chistes con las piernas y a veces, cuando ya estaba cerquita de la culminación, daba marcha atrás por demorar el goce.

# El Mundial del 54

Gelsomina y Zampanó brotaban de la mano mágica de Fellini y se echaban a payasear por *La strada*, sin apuro, mientras a toda velocidad, Fangio se consagraba campeón mundial de automovilismo por segunda vez. Jonas Salk preparaba la vacuna contra la poliomielitis. En el Pacífico estallaba la primera bomba de hidrógeno. En Vietnam, el general Giap noqueaba al ejército francés en la fulminante batalla de Dien Bien Phu. En Argelia, otra colonia francesa, nacía la guerra de la independencia.

El general Stroessner era elegido presidente del Paraguay, en reñida competencia contra ningún candidato. En Brasil, se estrechaba el cerco de militares y empresarios, armas y dineros, contra el presidente Getulio Vargas, que poco después se rompería el corazón de un balazo. Aviones norteamericanos bombardeaban

Guatemala, con la bendición de la OEA, y un ejército fabricado en el norte invadía, mataba y vencía. Mientras en Suiza se cantaban los himnos de dieciséis países, inaugurando el quinto Campeonato Mundial de Fútbol, en Guatemala los vencedores cantaban el himno de los Estados Unidos celebrando la caída del presidente Arbenz, cuya ideología marxista-leninista estaba fuera de toda duda porque se había metido con las tierras de la United Fruit.

En el Mundial del 54, participaron once equipos europeos, tres americanos, Turquía y Corea del Sur. Brasil estrenó la camiseta amarilla con cuello verde, en vista de que la anterior camiseta, blanca, le había dado mala suerte en Maracaná. Pero el color canarito no tuvo efecto inmediato: Brasil fue derrotado por Hungría en un partido violento, y no pudo llegar ni a las semifinales. La delegación brasileña denunció ante la FIFA al árbitro inglés, que había actuado «al servicio del comunismo internacional, contra la Civilización Occidental y Cristiana».

Hungría era la gran favorita de esta Copa. El demoledor equipo de Puskas, Kocsis y Hidegkuti llevaba cuatro años invicto, y poco antes del Mundial había goleado a Inglaterra 7 a 1. Pero éste fue un campeonato extenuante. Tras el duro enfrentamiento con los brasileños, los húngaros exprimieron sus energías contra los uruguayos. Hungría y Uruguay jugaron a muerte, sin darse tregua, y se agotaron mutuamente hasta que dos goles de Kocsis definieron el partido en el alargue.

La final fue contra Alemania. Hungría ya la había derrotado por paliza, 8 a 3, al comienzo del Mundial, y en aquel partido había quedado fuera de combate el capitán Puskas. En la final, Puskas reapareció, jugando a duras penas en una sola pierna, al frente de un equipo brillante pero gastado. Hungría, que iba ganando 2 a 0, acabó perdiendo 3 a 2, y Alemania conquistó su primer título mundial. Austria obtuvo el tercer lugar. Uruguay, el cuarto.

El húngaro Kocsis fue el goleador de la Copa, con once tantos, seguido por el alemán Morlock, con ocho, y el austríaco Probst, con seis. De los once goles de Kocsis, el más golazo fue hecho contra Brasil. Kocsis se lanzó como un avión, voló un buen rato en el aire y cabeceó al ángulo.

# Gol de Rahn

Fue en el Mundial del 54. La favorita Hungría disputaba la final contra Alemania.

Faltaban seis minutos para el final del partido, que iba empatado 2 a 2, cuando el robusto delantero alemán Helmut Rahn atrapó un rechazo de la defensa húngara en la media luna del área. Rahn esquivó a Lantos y disparó, de zurda, un balazo que entró junto al palo derecho del arco de Grosics.

Heribert Zimmerman, el más popular relator de Alemania, gritó aquel gol con pasión sudamericana:

—*Toooooooooorrrrrrrrrrr!!!!!*

Éste había sido el primer Mundial donde Alemania había podido participar después de la guerra, y el pueblo alemán sintió que nuevamente tenía derecho a la existencia: ese grito de gol se convirtió en un símbolo de la resurrección nacional. Años después, el gol histórico resonó en la banda sonora de la película de Fassbinder, *El matrimonio de María Braun*, que contaba las desventuras de una mujer que no sabía cómo abrirse paso entre las ruinas.

## Los avisos ambulantes

A mediados de los años cincuenta, Peñarol firmó el primer contrato para lucir publicidad en las camisetas. Diez jugadores aparecieron con el nombre de una empresa en el pecho. Obdulio Varela, en cambio, jugó con la camiseta de siempre, y explicó:

—*Antes, a los negros nos llevaban de una argolla en la nariz. Ese tiempo ya pasó.*

Hoy en día, cada futbolista es un aviso que juega.

En 1989, Carlos Menem disputó un partido amistoso vistiendo la camiseta de la selección argentina, junto a Maradona y los demás. Viéndolo por televisión, uno se preguntaba si ése era el presidente de la Argentina o de la Renault: Menem lucía al pecho un enorme letrero de esta empresa de automóviles.

En las camisetas de las selecciones que acudieron al Mundial del 94, la marca Adidas o Umbro era más visible que el escudo nacional. En la ropa de entrenamiento de la selección alemana, junto al águila federal aparece la estrella de la Mercedes Benz. La misma estrella ilumina las ropas del club VfB Stuttgart. El club Bayern Munich, en cambio, prefiere los autos Opel. La empresa de embalajes Tetra Pak patrocina al Eintracht Frankfurt. Los jugadores del Borussia Dortmund promueven las pólizas de seguros Continentale y los del Borussia Mönchengladbach, la cerveza Diebels. Talcid y Larylin, productos de la empresa Bayer, aparecen en las camisetas de los equipos que llevan el nombre de la empresa en Leverkusen y Uerdingen.

Es más importante la publicidad en el pecho que el número en la espalda. En 1993, el club argentino Racing, que no tenía quién lo auspiciara, publicó un desesperado aviso en el diario *Clarín*: «Se busca *sponsor*...» Y la publicidad es más importante, también, que las santas costumbres que el deporte, según dicen, promueve. En ese mismo año, mientras los desmanes en los estadios de Chile cobraban proporciones alarmantes y se prohibía la venta de alcohol durante los partidos, la mayoría de los clubes chilenos de primera división ofrecía bebidas alcohólicas, cerveza o pisco, desde las camisetas de sus jugadores.

A propósito de santas costumbres, hace ya unos cuantos años que un milagro del Papa de Roma convirtió al Espíritu Santo en banco de crédito. Actualmente, el club italiano Lazio lo tiene de *sponsor. Banco di Santo Spirito*, dicen las camisetas, como si cada jugador fuera un cajero de Dios.

Al fin del primer semestre de 1992, la empresa italiana Motta sacó cuentas: su marca, que los jugadores del club Milan osten-

taban por entonces en el pecho, se había visto 2.250 veces en las fotografías de los periódicos y había aparecido en primer plano durante seis horas en la televisión. Motta había pagado al Milan cuatro millones y medio de dólares, pero sus ventas de pan dulce y otras confituras habían aumentado en quince millones en ese período. Otra empresa italiana, Parmalat, que vende productos de leche en cuarenta países, tuvo un año de oro en 1993. Su equipo, el Parma, ganó por primera vez la Recopa europea, y en América del Sur fueron campeones Palmeiras, Boca y Peñarol, tres equipos que exhiben su marca en la camiseta. Empinándose sobre dieciocho empresas competidoras, Parmalat se impuso en el mercado brasileño, de la mano del fútbol, mientras también se abría camino entre los consumidores de Argentina y Uruguay. Además, dicho sea de paso, Parmalat se hizo dueña de varios jugadores sudamericanos: no sólo de las camisetas, sino también de las piernas. En Brasil, la empresa compró por diez millones de dólares a Edilson, Mazinho, Edmundo, Cléber y Zinho, que juegan o han jugado en la selección nacional, y a otros siete jugadores del club Palmeiras. Los interesados en adquirirlos, deben dirigirse a la sede de la empresa en Parma, Italia.

Desde que la televisión empezó a mostrar de cerca a los jugadores, su indumentaria completa fue invadida, de la cabeza a los pies, por la publicidad comercial. Cuando una estrella se demora atándose los zapatos, no es por torpeza de los dedos sino por astucia del bolsillo: está exhibiendo la marca Adidas, Nike o Reebok en sus pies. Ya en la Olimpíada de 1936, que Hitler organizó en Alemania, los atletas vencedores lucían las tres barras de Adidas en sus zapatos. En el campeonato mundial de fútbol de 1990, las barras de Adidas estaban en los zapatos y en todo lo demás. Dos periodistas ingleses, Simson y Jennings, han hecho notar que en el partido final, disputado por Alemania y Argentina, solamente el pito del árbitro no pertenecía a la empresa. De Adidas eran la pelota y cuanta cosa cubría los cuerpos de los jugadores, del árbitro y de los jueces de línea.

# Gol de Di Stéfano

Fue en 1957. España jugaba contra Bélgica.
Miguel madrugó a la defensa belga, se infiltró por la derecha y lanzó un centro. Di Stéfano se arrojó en plancha y desde el aire remató, de taco, al gol.

Alfredo Di Stéfano, el astro argentino que se había nacionalizado español, tenía la costumbre de meter goles así. Toda valla abierta era un crimen imperdonable, que exigía inmediato castigo, y él ejecutaba la pena metiendo estocadas de duende bandido.

# Di Stéfano

Todo el campo de juego cabía en sus zapatos. La cancha nacía de sus pies, y desde sus pies crecía. De arco a arco, Alfredo Di Stéfano corría y recorría la cancha: con la pelota, cambiando de frente, cambiando de ritmo, del trotecito cansino al ciclón imparable; sin la pelota, desmarcándose hacia los espacios vacíos y buscando aire cuando se atoraba el juego.

Nunca estaba quieto. Hombre de cabeza alzada, veía toda la cancha y al galope la cruzaba abriendo brechas para lanzar el asalto. Él estaba en el principio, en el durante y en el final de las jugadas de gol, y hacía goles de todos los colores:

*Socorro, socorro, ahí viene la saeta*
*con su propulsión a chorro.*

A la salida del estadio, la gente lo llevaba en andas. Di Stéfano fue el motor de los tres equipos que maravillaron al mundo en los años cuarenta y cincuenta: River Plate, donde sustituyó a Pedernera; Millonarios de Bogotá, donde junto a Pedernera deslumbró; y el Real Madrid, donde fue el máximo goleador de España durante cinco años seguidos. En 1991, cuando ya hacía años que se había retirado, la revista France Football otorgó el título de *mejor futbolista europeo de todos los tiempos* a este jugador nacido en Buenos Aires.

## Gol de Garrincha

Fue en 1958, en Italia. La selección de Brasil jugaba contra el club Fiorentina, camino del Mundial de Suecia. Garrincha invadió el área, dejó sentado a un defensa y se sacó de encima a otro, y a otro. Cuando había eludido también al arquero, descubrió que había un jugador en la línea del gol: Garrincha hizo como que sí, hizo como que no, mintió que pateaba al ángulo y el pobrecito se estrelló de narices contra el palo. Entonces el guardameta volvió a molestar. Garrincha le pasó la pelota entre las piernas y se metió en el arco.

Después, con la pelota bajo el brazo, regresó lentamente a la cancha. Caminaba mirando al suelo, Chaplin en cámara lenta, como pidiendo disculpas por ese gol que puso de pie a toda la ciudad de Florencia.

# El Mundial del 58

os Estados Unidos lanzaban un satélite a los altos cielos: la nueva lunita giraba en torno a la tierra, se cruzaba con los sputniks soviéticos y no los saludaba. Y mientras las grandes potencias competían en el más allá, en el más acá comenzaba la guerra civil en el Líbano, Argelia ardía, se incendiaba Francia y el general De Gaulle alzaba sus dos metros de altura sobre las llamas y prometía la salvación. En Cuba fracasaba la huelga general de Fidel Castro contra la dictadura de Batista, pero en Venezuela otra huelga general volteaba la dictadura de Pérez Jiménez. En Colombia, conservadores y liberales bendecían con elecciones su reparto del poder, al cabo de una década de guerra de exterminio mutuo, mientras Richard Nixon era recibido a pedradas en su gira latinoamericana. José María Arguedas publicaba *Los ríos profundos*. Aparecían *La región más transparente*, de Carlos Fuentes, y los *Poemas de amor*, de Idea Vilariño.

En Hungría, caían fusilados Imre Nagy y otros rebeldes del 56, que habían querido democracia en lugar de burocracia, y en Haití morían los rebeldes que se habían lanzado al asalto del palacio donde Papa Doc Duvalier reinaba rodeado de brujos y verdugos. Juan XXIII, Juan el Bueno, era el nuevo Papa de Roma, el

príncipe Carlos era el futuro monarca de Inglaterra, Barbie era la nueva reina de las muñecas. João Havelange conquistaba la corona brasileña en el negocio del fútbol, mientras en el arte del fútbol un muchacho de diecisiete años, llamado Pelé, se consagraba rey del mundo.

La consagración de Pelé tuvo lugar en Suecia, durante el sexto Campeonato Mundial. Participaron del torneo doce equipos europeos, cuatro americanos y ninguno de otras latitudes.

Los suecos pudieron ver los partidos en las canchas y también en sus casas. Ésta fue la primera vez que la Copa se trasmitió por televisión, aunque sólo llegó en vivo y en directo al ámbito nacional y el resto del mundo la recibió después.

Ésta fue, también, la primera vez que un país ganó la Copa jugando fuera de su continente. En el Mundial del 58, la selección brasileña empezó más o menos, pero fue arrolladora a partir del momento en que los jugadores se sublevaron y pudieron imponer al director técnico el equipo que ellos querían. Entonces, cinco suplentes se hicieron titulares. Entre ellos, Pelé, un adolescente desconocido, y Garrincha, que ya traía mucha fama desde Brasil y mucho se había lucido en los juegos previos, pero había sido excluido del Mundial porque los estudios psicotécnicos le ha-

 **115**

bían diagnosticado debilidad mental. Ellos, suplentes negros de jugadores blancos, brillaron con luz propia en el nuevo equipo de estrellas, junto a otro negro de juego deslumbrante, Didí, que desde atrás les organizaba las magias.

Juego y fuego: el periódico *World Sports*, de Londres, dijo que había que restregarse los ojos para creer que aquello era cosa de este planeta. En las semifinales, contra la Francia de Kopa y Fontaine, los brasileños ganaron 5 a 2, y otra vez 5 a 2 en la final contra el dueño de casa. El capitán de Suecia, Liedholm, uno de los jugadores más limpios y elegantes de la historia del fútbol, convirtió el primer gol del partido, pero después Vavá, Pelé y Zagalo pusieron las cosas en su lugar, ante la atónita mirada del rey Gustavo Adolfo. Brasil fue campeón invicto. Cuando terminó el partido, los jugadores regalaron la pelota a su hincha más devoto, el negro Américo, masajista.

Francia ocupó el tercer lugar y Alemania Federal, el cuarto. El francés Fontaine encabezó la tabla de goleadores, con una lluvia de trece tantos, ocho de pierna derecha, cuatro de izquierda y uno de cabeza, seguido por Pelé y el alemán Helmut Rahn, que metieron seis.

# Gol de Nílton

Fue en el Mundial del 58. Brasil iba ganando 1 a 0 contra Austria. Al comienzo del segundo tiempo, avanzó desde su campo Nílton Santos, el hombre clave de la defensa brasileña, llamado *la Enciclopedia* por lo mucho que sabía de fútbol. Nílton abandonó la retaguardia, pasó la línea central, eludió a un par de rivales y siguió camino. El técnico brasileño, Vicente Feola, corría también por la orilla de la cancha, pero del lado de afuera. Sudando a mares, gritaba:

—*¡Vuelve, vuelve!*

Y Nílton, imperturbable, continuaba su carrera hacia el área rival. El gordo Feola, desesperado, se agarraba la cabeza, pero Nílton no pasó la pelota a ningún delantero: hizo toda la jugada él solito y la culminó con un golazo.

Entonces Feola, feliz, comentó:

—*¿Vieron? ¿No les dije? ¡Éste sí que sabe!*

# Garrincha

Alguno de sus muchos hermanos lo bautizó Garrincha, que es el nombre de un pajarito inútil y feo. Cuando empezó a jugar al fútbol, los médicos le hicieron la cruz: diagnosticaron que nunca llegará a ser un deportista este anormal, este pobre resto del hambre y de la poliomielitis, burro y cojo, con un cerebro infantil, una columna vertebral hecha una S y las dos piernas torcidas para el mismo lado.

Nunca hubo un puntero derecho como él. En el Mundial del 58, fue el mejor en su puesto. En el Mundial del 62, el mejor jugador del campeonato. Pero a lo largo de sus años en las canchas, Garrincha fue más: él fue el hombre que dio más alegría en toda la historia del fútbol.

Cuando él estaba allí, el campo de juego era un picadero de circo; la pelota, un bicho amaestrado; el partido, una invitación a la fiesta. Garrincha no se dejaba sacar la pelota, niño defendiendo

su mascota, y la pelota y él cometían diabluras que mataban de risa a la gente: él saltaba sobre ella, ella brincaba sobre él, ella se escondía, él se escapaba, ella lo corría. En el camino, los rivales se chocaban entre sí, se enredaban las piernas, se mareaban, caían sentados. Garrincha ejercía sus picardías de malandra a la orilla de la cancha, sobre el borde derecho, lejos del centro: criado en los suburbios, en los suburbios jugaba. Jugaba para un club llamado Botafogo, que significa *prendefuego*, y ése era él: el botafogo que encendía los estadios, loco por el aguardiente y por todo lo ardiente, el que huía de las concentraciones, escapándose por la ventana, porque desde los lejanos andurriales lo llamaba alguna pelota que pedía ser jugada, alguna música que exigía ser bailada, alguna mujer que quería ser besada.

¿Un ganador? Un perdedor con buena suerte. Y la buena suerte no dura. Bien dicen en Brasil que si la mierda tuviera valor, los pobres nacerían sin culo.

Garrincha murió de su muerte: pobre, borracho y solo.

# Didí

Los periodistas lo consagraron como el mejor creador de juego del Mundial del 58.

Él fue el eje de la selección brasileña. Cuerpo enjuto, alto cuello, erguida estatua de sí mismo, Didí parecía un icono africano plantado en el centro de la cancha. Allí era dueño y señor. Desde allí, disparaba sus flechas envenenadas.

Él era el maestro del pase en profundidad, medio gol que se hacía gol entero en los pies de Pelé, Garrincha o Vavá, pero también hacía sus propios goles. Disparando desde lejos, engañaba al arquero con la *hoja seca*: lanzaba la pelota con el perfil del pie y ella salía girando y girando volaba, daba volteretas y cambiaba de rumbo como una hoja seca perdida en el viento, hasta que se metía entre los palos por el ángulo donde el guardameta no la esperaba.

Didí jugaba quieto. Señalando la pelota, decía:

—*La que corre es ella.*

Él sabía que ella estaba viva.

## Didí y ella

Yo siempre le tuve mucho cariño. Porque si uno no la trata con cariño, ella no obedece. Cuando ella venía, yo la dominaba, ella obedecía. A veces ella se iba por ahí, y yo: «Venga, hijita», y la traía. Le daba de callo, de juanete, y ella estaba ahí, obediente. Yo la trataba con tanto cariño como trato a mi mujer. Tenía con ella un cariño tremendo. Porque ella es fuego. Si la maltratas, te rompe la pierna. Es por eso que yo digo: «Muchachos, vamos, respeten. Ésta es una niña que tiene que ser tratada con mucho amor...» Según el lugarcito donde uno la toca ella toma un destino.

(Testimonio recogido por Roberto Moura)

## Kopa

Lo llamaban *el Napoleón del fútbol*, porque era bajito y conquistador de territorios.

Con la pelota en el pie, crecía y dominaba la cancha. Jugador de mucha movilidad y florido regate, Raymond Kopa se escabullía hacia la meta dibujando arabescos sobre el césped. Los técnicos se tiraban de los pelos, por lo mucho que se entretenía con la pelota, y los franceses expertos en fútbol solían acusarlo del delito de tener un estilo sudamericano. Pero en el Mundial del 58, Kopa fue incluido por los periodistas en el *once ideal*, y ese año ganó el Balón de Oro que se otorga al mejor jugador de Europa.

El fútbol lo había arrancado de la miseria. Había empezado jugando en un equipo de mineros. Hijo de emigrantes polacos, Kopa trabajó toda su infancia, junto a su padre, en los socavones de carbón de Noeux, donde se hundía cada noche para emerger en la tarde.

# Carrizo

Pasó un cuarto de siglo atrapando pelotas con un imán en las manos y provocando el pánico en el campo rival. Amadeo Carrizo fundó un estilo en el fútbol sudamericano. Él fue el primer arquero que tuvo la audacia de salir de su área para empujar el ataque, a puro riesgo, creando peligro y hasta gambeteando rivales en más de una ocasión. Antes de Carrizo, ésa había sido una locura prohibida. Después, la audacia se contagió. Su compatriota Gatti, el colombiano Higuita y el paraguayo Chilavert tampoco se resignaron a que el guardameta fuera solamente un hombre-muro, pegado a su valla, y demostraron que el arquero puede también ser un hombre-lanza.

El hincha cultiva, como se sabe, el placer de la negación del otro: el jugador enemigo siempre merece condenación o desprecio. Pero los hinchas argentinos de todas las banderas celebran a Carrizo y coinciden, quién más, quién menos: nadie ha atajado como él en aquellas canchas. Y sin embargo, en 1958, cuando la selección argentina volvió con el rabo entre las patas del Mundial de Suecia, el ídolo fue el último de los dejados de la mano de Dios. Argentina había sido goleada por Checoslovaquia 6 a 1, y semejante crimen exigía una expiación. La prensa lo vapuleó, el público lo silbó, Carrizo quedó con el ánimo por el piso. Y años después, en sus memorias, tristemente confesó:

—*Siempre recuerdo más los goles que me hicieron que los remates que atajé.*

# Fervor de la camiseta

Al escritor uruguayo Paco Espínola no le interesaba el fútbol. Pero una tarde del verano de 1960, buscando qué escuchar en la radio, Paco pescó por casualidad la trasmisión de un partido. Era el clásico local. El club Peñarol perdió por goleada, 4 a 0, ante Nacional.

Cuando cayó la noche, Paco estaba tan triste que decidió cenar solo, por no amargarle la vida a nadie. ¿De dónde venía tanta tristeza? Paco ya estaba por creer que era una tristeza porque sí, o por la pura pena de ser mortal en el mundo, cuando de pronto se dio cuenta de que estaba triste porque Peñarol había caído. Él era hincha de Peñarol y no lo sabía.

¿Cuántos uruguayos estaban tristes como él? ¿Y cuántos, en cambio, trepaban las paredes de júbilo? Paco vivió una revelación tardía. Normalmente los uruguayos *pertenecemos* a Nacional o a Peñarol desde el día que nacemos. Uno dice, pongamos por caso: «Yo *soy* de Nacional». Así ocurre desde principios de siglo. Los cronistas de aquellos tiempos cuentan que en los burdeles de Montevideo, las profesionales del amor atraían clientes sentándose a la puerta sin más ropas que las camisetas de Peñarol o Nacional.

Para el hincha fanático, el placer no está en la victoria del propio club, sino en la derrota del otro. En 1993, un diario de Montevideo entrevistó a unos muchachos que durante la semana se ganaban la vida cargando leña y los domingos disfrutaban la vida gritando por Nacional en el estadio. Uno de ellos confesó: «A mí, ver una camiseta de Peñarol me da asco. Yo quiero que pierda siempre, aunque juegue contra extranjeros».

Lo mismo ocurre en muchas otras ciudades, también divididas por la mitad. En 1988, Nacional venció a Newell's en la final de la Copa americana. Newell's es uno de los dos clubes que se reparten los amores de la ciudad de Rosario, en el litoral de Argentina. Entonces los hinchas del otro club, Rosario Central, desbordaron las calles de su ciudad festejando la derrota de Newell's ante un cuadro extranjero.

Creo que fue Osvaldo Soriano quien me contó la historia de la muerte de un hincha de Boca Juniors, en Buenos Aires. Aquel hincha se había pasado toda la vida odiando al club River Plate, como correspondía, pero en el lecho de agonía pidió que lo envolvieran en la bandera enemiga. Y así pudo celebrar, en el último suspiro:

—*Muere uno de ellos.*

Si el hincha *pertenece* al club, ¿por qué no los jugadores? Muy raras veces el hincha acepta el nuevo destino de un jugador idolatrado. Cambiar de club no es lo mismo que cambiar de lugar

de trabajo, aunque el jugador sea, como es, un profesional que se gana la vida con sus piernas. La pasión por la camiseta no tiene mucho que ver con el fútbol moderno, pero el hincha castiga el delito de deserción. En 1989, cuando el jugador brasileño Bebeto pasó del club Flamengo al Vasco da Gama, hubo hinchas del Flamengo que acudían a los partidos del Vasco da Gama solamente para abuchear al traidor. Le llovieron las amenazas, y el brujo más temible de Río de Janeiro le echó su maldición. Bebeto sufrió un rosario de lesiones, no podía jugar sin lastimarse y sin que la culpa le pesara en las piernas, y fue de mal en peor hasta que por fin decidió marcharse a España. Algún tiempo antes, la estrella de muchos años en el club argentino Racing, Roberto Perfumo, se fue a River Plate. Sus hinchas de siempre le dedicaron una de las más largas y estruendosas silbatinas de la historia:

—*Me di cuenta de lo mucho que me querían* —dijo Perfumo.

Nostalgioso de los viejos tiempos de la fe, el hincha tampoco acepta los cálculos de rentabilidad que a menudo determinan las decisiones de los dirigentes, en una época que obliga al club a convertirse en fábrica productora de espectáculos. Cuando la fábrica anda mal, los números rojos mandan sacrificar el activo de la empresa. Uno de los gigantescos supermercados *Carrefour*, de Buenos Aires, se alza sobre las ruinas del estadio del club San Lorenzo. Cuando el estadio fue demolido, a mediados de 1983, los hinchas se llevaban, llorando, un puñado de tierra en el bolsillo.

El club es la única cédula de identidad en la que el hincha cree. Y en muchos casos, la camiseta, el himno y la bandera en-

carnan tradiciones entrañables, que se expresan en las canchas de fútbol pero vienen de lo hondo de la historia de una comunidad. Para los catalanes, el Barcelona es «más que un club»: es un símbolo de la larga lucha por la afirmación nacional contra el centralismo de Madrid. Desde 1919, no hay extranjeros ni otros españoles en los equipos del Athletic de Bilbao: el Athletic, santuario del orgullo vasco, sólo acepta jugadores vascos en sus filas, y casi siempre son jugadores surgidos de su propio semillero. En los años de la dictadura de Franco, los dos estadios, el Camp Nou de Barcelona y el San Mamés de Bilbao, sirvieron de refugio a los sentimientos nacionales prohibidos. Allí los catalanes y los vascos gritaban y cantaban en sus lenguas y agitaban sus estandartes clandestinos. Y fue un estadio de fútbol el lugar donde por primera vez apareció una bandera vasca, sin que la policía aporreara a quienes la portaban: un año después de la muerte de Franco, los jugadores del Athletic y de la Real Sociedad aparecieron en la cancha empuñando la bandera.

La guerra de la desintegración de Yugoslavia, que tanto ha desconcertado al mundo entero, ocurrió en los campos de fútbol antes que en los campos de batalla. Los antiguos rencores entre los serbios y los croatas emergían a la superficie cada vez que se enfrentaban los clubes de Belgrado y Zagreb. Entonces las hinchadas revelaban sus pasiones profundas y desenterraban banderas y cánticos del pasado como hachas de guerra.

# Gol de Puskas

Fue en 1961. El Real Madrid enfrentaba, en su cancha, al Atlético de Madrid.

No bien comenzó el partido, Ferenc Puskas metió un gol bis, como había hecho Zizinho en el Mundial del 50. El atacante húngaro del Real Madrid ejecutó una falta, al borde del área, y la pelota entró. Pero el árbitro se acercó a Puskas, que festejaba con los brazos en alto:

—*Lo lamento* —se disculpó—, *pero yo no había pitado.*

Y Puskas volvió a tirar. Disparó de zurda, como antes, y la pelota hizo exactamente el mismo recorrido: pasó como bola de cañón sobre las mismas cabezas de los mismos jugadores de la barrera y se coló, como el gol anulado, por el ángulo izquierdo de la meta de Madinabeytia, que saltó igual que antes y no pudo, como antes, ni rozarla.

# Gol de Sanfilippo

Querido Eduardo:

Te cuento que el otro día estuve en el supermercado «Carrefour», donde antes estaba la cancha de San Lorenzo. Fui con José Sanfilippo, el héroe de mi infancia, que fue goleador de San Lorenzo cuatro temporadas seguidas. Caminamos entre las góndolas, rodeados de cacerolas, quesos y ristras de chorizos. De pronto, mientras nos acercamos a las cajas, Sanfilippo abre los brazos y me dice: «Pensar que acá se la clavé de sobrepique a Roma, en aquel partido contra Boca». Se cruza delante de una gorda que arrastra un carrito lleno de latas, bifes y verduras y dice: «Fue el gol más rápido de la historia».

Concentrado, como esperando un córner, me cuenta: «Le dije al cinco, que debutaba: no bien empiece el partido, me mandás un pelotazo al área. No te calentés que no te voy a hacer quedar mal. Yo era mayor y el chico, Capdevilla se llamaba, se asustó, pensó: a ver si no cumplo». Y ahí nomás Sanfilippo me señala la pila de frascos de mayonesa y grita: «¡Acá la puso!». La gente nos mira, azorada. «La pelota me cayó atrás de los centrales, atropellé pero se me fue un poco hasta ahí, donde está el arroz, ¿ve?» —me señala el estante de abajo, y de golpe corre como un conejo a pesar del traje azul y los zapatos lustrados—: «La dejé picar y ¡pluml!». Tira el zurdazo. Todos nos damos vuelta para mirar hacia la caja, donde estaba el arco hace treinta y tantos años, y a todos nos parece que la pelota se mete arriba, justo donde están las pilas para radio y las hojitas de afeitar. Sanfilippo levanta los brazos para festejar. Los clientes y las cajeras se rompen las manos de tanto aplaudir. Casi me pongo a llorar. El Nene Sanfilippo había hecho de nuevo aquel gol de 1962, nada más que para que yo pudiera verlo.

Osvaldo Soriano

# El Mundial del 62

Unos astrólogos hindúes y malayos habían anunciado el fin del mundo pero el mundo seguía girando, y entre vuelta y vuelta nacía una organización que se bautizaba con el nombre de Amnistía Internacional y Argelia daba sus primeros pasos de vida independiente, al cabo de más de siete años de guerra contra Francia. En Israel ahorcaban al criminal nazi Adolf Eichmann, los mineros de Asturias se alzaban en huelga, el papa Juan quería cambiar la Iglesia y devolverla a los pobres. Se fabricaban los primeros disquetes para computadoras, se realizaban las primeras operaciones con rayo láser, Marilyn Monroe perdía las ganas de vivir.

¿En cuánto se cotizaba el voto internacional de un país? Haití vendía su voto a cambio de quince millones de dólares, una carretera, una represa y un hospital y así otorgaba a la OEA la mayoría necesaria para expulsar a Cuba, la oveja negra del panamericanismo. Fuentes bien informadas de Miami anunciaban la inminente caída de Fidel Castro, que iba a desplomarse en cuestión de horas. Setenta y cinco demandas de prohibición se presentaban ante los tribunales norteamericanos contra la novela *Trópico de Cáncer*, de Henry Miller, que por primera vez se había

publicado sin censura. Linus Pauling, que estaba por recibir su segundo premio Nobel, caminaba ante la Casa Blanca portando un cartel de protesta contra las explosiones nucleares, mientras Benny Kid Paret, cubano, negro, analfabeto, caía muerto, aniquilado por los golpes, en el *ring* del Madison Square Garden.

En Memphis, Elvis Presley anunciaba su retiro, después de vender trescientos millones de discos, pero se arrepentía al ratito, y en Londres una empresa de discos, la Decca, se negaba a grabar las canciones de unos músicos peludos que se llamaban los Beatles. Carpentier publicaba *El siglo de las luces*, Gelman publicaba *Gotán*, los militares argentinos volteaban al presidente Frondizi, moría el pintor brasileño Cándido Portinari. Aparecían las *Primeiras estórias*, de Guimaraes Rosa, y los poemas que Vinicius de Moráes escribió para *viver um grande amor*. João Gilberto susurraba el *samba de uma nota só*, en el Carnegie Hall, mientras los jugadores de Brasil aterrizaban en Chile, dispuestos a conquistar el séptimo Campeonato Mundial de Fútbol ante otros cinco países americanos y diez europeos.

En el Mundial del 62, Di Stéfano no tuvo buena suerte. Iba a jugar en la selección de España, su país de adopción. A los 36 años de edad, era su última oportunidad. En vísperas del estreno, se lastimó la rodilla derecha, y no hubo caso. Di Stéfano, la *Saeta Rubia*, uno de los mejores jugadores de la historia del fútbol, nunca pudo jugar un Mundial. Pelé, otra estrella de todos los tiempos, no llegó muy lejos en el Mundial de Chile: sufrió de entrada

 **131**

un desgarramiento muscular y quedó fuera. Y otro monstruo sagrado del fútbol, el ruso Yashin, anduvo también con mala pata: el mejor arquero del mundo se comió cuatro goles ante Colombia, porque parece que se le fue la mano con los traguitos que lo entonaban en el vestuario.

Brasil ganó el torneo. Sin Pelé, y bajo la batuta de Didí. Amarildo se lució en el difícil lugar de Pelé, atrás Djalma Santos fue una muralla y adelante Garrincha deliraba y hacía delirar. «¿De qué planeta procede Garrincha?», se preguntaba el diario *El Mercurio*, mientras Brasil liquidaba a los dueños de casa. Los chilenos se habían impuesto a Italia, en un partido que fue una batalla campal, y también habían vencido a Suiza y a la Unión Soviética. Se habían servido spaguettis, chocolate y vodka, pero se les atragantó el café: los brasileños ganaron 4 a 2.

En la final, Brasil derrotó a Checoslovaquia 3 a 1 y fue, como en el 58, campeón invicto. Por primera vez, la final de un campeonato mundial se pudo ver en directo por la televisión en trasmisión internacional, aunque fue en blanco y negro y llegó a pocos países.

Chile conquistó el tercer lugar, la mejor clasificación de su historia, y Yugoslavia ganó el cuarto puesto gracias a un pájaro llamado Dragoslav Sekularac, que ninguna defensa pudo atrapar.

El campeonato no tuvo un goleador, pero varios jugadores convirtieron cuatro tantos: los brasileños Garrincha y Vavá, el chileno Sánchez, el yugoslavo Jerkovic, el húngaro Albert y el soviético Ivanov.

# Gol de Charlton

Fue en el Mundial del 62. Inglaterra jugaba contra la selección argentina.

Bobby Charlton armó la jugada del primer gol inglés, hasta que Flowers quedó solo frente al arquero Roma. Pero el segundo gol fue obra suya de cabo a rabo. Charlton, dueño de toda la izquierda del campo, dejó a la defensa argentina desintegrada como una polilla después del manotazo, y a la carrera cambió de pierna y con la derecha fulminó al arquero de tiro cruzado.

Él era un sobreviviente. Casi todos los jugadores de su equipo, el Manchester United, habían quedado atrapados entre los hierros retorcidos de un avión en llamas. A Bobby la muerte lo soltó, para que este hijo de un obrero de las minas pudiera seguir regalando a la gente la alta nobleza de su fútbol.

La pelota lo obedecía. Ella recorría la cancha siguiendo sus instrucciones y se metía en el arco antes de que él la pateara.

## Yashin

L ev Yashin tapaba el arco sin dejar ni un agujerito. Este gigante de largos brazos de araña, siempre vestido de negro, tenía un estilo despojado, una elegancia desnuda que desdeñaba la espectacularidad de los gestos que sobran. Él solía parar los disparos fulminantes alzando una sola mano, tenaza que atrapaba y trituraba cualquier proyectil, mientras el cuerpo permanecía inmóvil como una roca. Y sin moverse, también podía desviar la pelota con sólo echarle una mirada.

Se retiró del fútbol varias veces, siempre perseguido por las aclamaciones de gratitud, y varias veces volvió. Otro como él no había. Durante más de un cuarto de siglo, el guardameta ruso detuvo más de cien penales y salvó quién sabe cuántos goles hechos. Cuando le preguntaron cuál era su secreto, respondió que la fórmula consistía en fumarse un cigarrillo para calmar los nervios y echarse un trago fuerte para entonar los músculos.

# Gol de Gento

Fue en 1963. El Real Madrid enfrentaba al club Pontevedra. Apenas el juez dio el pitazo inicial, hubo gol de Di Stéfano y no bien comenzó el segundo tiempo, anotó Puskas. A partir de entonces, la hinchada esperó, en vilo, el próximo gol, que iba a ser el número 2.000 desde que el Real Madrid había empezado a disputar, en 1928, la Liga española. Los hinchas del Madrid invocaban el gol besándose los dedos en cruz y los hinchas enemigos lo espantaban con los dedos en cuernos apuntando al suelo.

El partido se dio vuelta. Dominaba el Pontevedra. Pero cuando anocheció, y poco faltaba para el final, y ya se había perdido de vista aquel gol tan deseado y tan temido, Amancio sacó una falta peligrosa: Di Stéfano no pudo alcanzar la pelota y la atrapó Gento, el extremo izquierdo del Real Madrid, que se liberó de los defensas que lo acorralaban y disparó y venció. El estadio se vino abajo.

Francisco Gento, el forajido, tenía la captura recomendada por todos los equipos rivales. A veces conseguían encerrarlo en cárceles de alta seguridad, pero él se zafaba siempre.

# Seeler

Cara de mucho placer. Uno no puede imaginarlo sin un jarrón de espumosa cerveza en la mano. En las canchas alemanas, era siempre el más bajo y el más gordo: un hamburgués rechoncho y petiso, de andar oscilante, que tenía un pie más grande que el otro. Pero Uwe Seeler era una pulga cuando saltaba, una liebre cuando corría y un toro cuando cabeceaba.

En 1964, este delantero centro del club Hamburgo fue elegido el mejor jugador alemán. Él pertenecía al Hamburgo en cuerpo y alma:

—*Soy un hincha más. El Hamburgo es mi casa* —decía.

Uwe Seeler despreció todas las ofertas que tuvo, muchas y muy suculentas, para jugar en los más poderosos equipos de Europa.

Participó en cuatro campeonatos mundiales. Gritar *Uwe, Uwe* era la mejor manera de gritar *Alemania, Alemania*.

# Matthews

En 1965, a los cincuenta años de edad, Stanley Matthews todavía provocaba graves casos de alucinación en el fútbol inglés. Los psiquiatras no daban abasto para atender a las víctimas, que habían sido normales hasta el maldito momento en que se habían topado con este abuelo demoníaco, enloquecedor de zagueros.

Los defensas lo agarraban de la camiseta o del pantalón, le aplicaban llaves de lucha libre o le tiraban patadas de página policial, pero no podían pararlo porque nunca lograban atraparle las alas. Matthews era puntero, que en inglés se dice *winger*. *Wing* significa ala, y Matthews fue el *winger* que más alto anduvo sobre tierra inglesa, a la orilla de la cancha.

Bien lo sabía la reina Isabel, que lo hizo *sir*.

## El Mundial del 66

Los militares bañaban a Indonesia en sangre, medio millón de muertos, un millón, quién sabe, y el general Suharto iniciaba su larga dictadura asesinando a los pocos rojos, rosados o dudosos que quedaban vivos. Otros militares volteaban a N'Krumah, presidente de Ghana y profeta de la unidad africana, mientras sus colegas de Argentina desalojaban al presidente Illia por golpe de Estado.

Por primera vez en la historia, una mujer, Indira Gandhi, gobernaba la India. Los estudiantes echaban abajo a la dictadura militar del Ecuador. La aviación de los Estados Unidos bombardeaba Hanoi, en una nueva ofensiva, pero en la opinión pública norteamericana crecía la certeza de que nunca debían haber entrado en Vietnam, que no debían haberse quedado y que debían salir cuanto antes.

Truman Capote publicaba *A sangre fría*. Aparecían *Cien años de soledad*, de García Márquez, y *Paradiso*, de Lezama Lima. El cura Camilo Torres caía peleando en las montañas de Colombia, el Che Guevara cabalgaba su flaco *Rocinante* por los campos de Bolivia, Mao desataba la revolución cultural en China. Varias bombas atómicas caían en la costa española de Almería, y aunque no estallaban, sembraban el pánico. Fuentes bien informadas de Miami anunciaban la inminente caída de Fidel Castro, que iba a desplomarse en cuestión de horas.

En Londres, Harold Wilson mascaba su pipa y celebraba la victoria en las elecciones, las muchachas andaban de minifalda, Carnaby Street dictaba la moda y todo el mundo tarareaba las canciones de los Beatles, mientras se inauguraba el octavo Campeonato Mundial de Fútbol.

Éste fue el último Mundial de Garrincha, y también fue la despedida del arquero mexicano Antonio Carbajal, el único jugador que había estado cinco veces en el torneo.

Participaron dieciséis equipos: diez europeos, cinco americanos y, cosa rara, Corea del Norte. Asombrosamente, la selección coreana eliminó a Italia con gol de Pak, un dentista de la ciudad de Pyongyang que practicaba el fútbol en sus ratos libres. En la selección italiana jugaban nada menos que Gianni Rivera y San-

dro Mazzola. Pier Paolo Pasolini decía que ellos jugaban al fútbol en buena prosa interrumpida por versos fulgurantes, pero el dentista los dejó mudos.

Por primera vez se trasmitió todo el campeonato en directo, vía satélite, y el mundo entero pudo ver, todavía en blanco y negro, el *show* de los jueces. En el Mundial anterior, los jueces europeos habían arbitrado 26 partidos; en éste, dirigieron 24 de los 32 partidos disputados. Un juez alemán obsequió a Inglaterra el partido contra Argentina, mientras un juez inglés regalaba a Alemania el partido contra Uruguay. Brasil no tuvo mejor suerte: Pelé fue impunemente cazado a patadas por Bulgaria y Portugal, que lo desalojaron del campeonato.

La reina Isabel asistió a la final. No gritó ningún gol, pero aplaudió discretamente. El Mundial se definió entre la Inglaterra de Bobby Charlton, hombre de temible empuje y puntería, y la Alemania de Beckenbauer, que recién empezaba su carrera y ya jugaba de galera, guantes y bastón. Alguien había robado la copa Rimet, pero un perro llamado Pickles la encontró tirada en un jardín de Londres. Así, el trofeo pudo llegar a tiempo a manos del vencedor. Inglaterra se impuso 4 a 2. Portugal entró tercero. En cuarto lugar, la Unión Soviética. La reina Isabel otorgó título de nobleza a Alf Ramsey, el director técnico de la selección triunfante, y el perro Pickles se convirtió en héroe nacional.

El Mundial del 66 fue usurpado por las tácticas defensivas. Todos los equipos practicaban el *cerrojo* y dejaban un jugador *escoba* barriendo la línea final detrás de los zagueros. Sin embargo, Eusebio, el artillero africano de Portugal, pudo atravesar nueve veces esas impenetrables murallas en las retaguardias rivales. Tras él, en la lista de goleadores, figuró el alemán Haller, con seis tantos.

## Greaves

En una película de vaqueros, hubiera sido el pie más rápido del Oeste. En las canchas de fútbol, había hecho cien goles antes de cumplir veinte años, y a los veinticinco no se había inventado el pararrayos que pudiera atraparlo. Más que correr, estallaba: Jimmy Greaves se desencadenaba tan de pronto que los árbitros le cobraban fuera de juego por error, porque nunca sabían de dónde venían sus piques súbitos, ni sus disparos certeros: lo veían llegar, pero nunca alcanzaban a verlo partir.

—*Tanto deseo los goles* —decía— *que hasta me duele desearlos.*

Greaves no tuvo suerte en el Mundial del 66. No metió ni un gol, y un ataque de ictericia lo dejó fuera de la final.

## Gol de Beckenbauer

Fue en el Mundial del 66. Alemania jugaba contra Suiza. Uwe Seeler se lanzó al ataque junto a Franz Beckenbauer, Sancho Panza y don Quijote disparados por un gatillo invisible, vaya y venga, tuya y mía, y cuando toda la defensa suiza había quedado inútil como oreja de sordo, Beckenbauer encaró al guardameta Elsener, que se arrojó a su izquierda, y definió a la carrera: pasó por la derecha, tiró y adentro.

Beckenbauer tenía veinte años y ése fue su primer gol en un campeonato mundial. Después, estuvo en cuatro más, como jugador o como director técnico, y nunca bajó del tercer puesto. Dos veces alzó la Copa del mundo: en el 74, jugando, y en el 90, dirigiendo. Contra la dominante tendencia al fútbol de pura fuerza, estilo divisiones Panzer, él demostraba que la elegancia puede ser más poderosa que un tanque y la delicadeza, más penetrante que un obús.

Había nacido en el barrio obrero de Munich este emperador del medio campo, llamado el *Kaiser*, que con hidalguía mandaba en la defensa y en el ataque: atrás, no se le escapaba ninguna pelota, ni mosca, ni mosquito, que quisiera pasar; y cuando se echaba adelante, era un fuego que atravesaba la cancha.

# Eusebio

Nació destinado a lustrar zapatos, vender maníes o robar a los distraídos. De niño, lo llamaban *Ninguém*: nadie, ninguno. Hijo de madre viuda, jugaba al fútbol con sus muchos hermanos en los arenales de los suburbios, desde el amanecer hasta la noche.

Llegó a las canchas corriendo como sólo puede correr alguien que huye de la policía o de la miseria que le muerde los talones. Y así, disparando en zigzag, fue campeón de Europa a los veinte años. Entonces lo llamaron *la Pantera*.

En el Mundial del 66, sus zancadas dejaron un tendal de adversarios por el suelo y sus goles, desde ángulos imposibles, desataron ovaciones de nunca acabar.

Fue un africano de Mozambique el mejor jugador de toda la historia de Portugal. Eusebio: altas piernas, brazos caídos, mirada triste.

## La maldición de los tres palos

Aquel guardián tenía una cara tallada con hacha y picada de viruela. Sus grandes manos de dedos retorcidos cerraban la valla con tranca y candado y sus pies disparaban cañonazos. De todos los arqueros brasileños que he visto, Manga es el que más se me ha quedado en la memoria. Una vez, en Montevideo, lo vi hacer un gol de arco a arco: Manga pateó desde su meta y la pelota entró en la meta contraria sin que ningún jugador la tocara. Él estaba jugando en el club uruguayo Nacional, por penitencia. No había tenido más remedio que irse del Brasil. La selección brasileña había regresado a casa con la cabeza gacha, derrotada con más pena que gloria en el Mundial del 66, y Manga había sido el chivo expiatorio de esa desgracia nacional. Él había jugado solamente un partido. Cometió una pifia, una salida en falso, y tuvo la mala suerte de que Portugal metiera un gol en el arco vacío. Aquel mal momento alcanzó para que los errores de los guardametas pasaran a llamarse, por mucho tiempo, *mangueiradas*.

Algo así había ocurrido, en el Mundial del 58, cuando el arquero Amadeo Carrizo pagó el pato del fracaso de la selección argentina. Y antes, en el 50, cuando Moacyr Barbosa fue el cabeza de turco de la derrota brasileña en la final de Maracaná.

En el Mundial del 90, Camerún desalojó a Colombia, que venía de jugar un brillante partido contra Alemania. El gol decisivo del equipo africano provino de una metida de pata del arquero René Higuita, que se fue hasta el medio de la cancha y allí perdió la pelota. La misma gente que festejaba esas audacias cuando salían bien, se quiso comer crudo a Higuita apenas regresó a Colombia.

En 1993, la selección colombiana, ya sin Higuita, apabulló a la selección argentina, 5 a 0, en Buenos Aires. Aquella humillación exigía a gritos un culpable, y el culpable tenía que ser, cuándo no, el arquero. Sergio Goycoechea pagó la cuenta de los platos rotos. La selección argentina llevaba más de treinta partidos invicta, y para todos Goycoechea era la gran explicación de esa hazaña. Pero después de la goleada de Colombia, el milagroso atajador de penales dejó de ser san Goyco, perdió su puesto en la selección y más de uno le aconsejó el suicidio.

## Los años de Peñarol

En 1966, se enfrentaron dos veces los campeones de América y de Europa, Peñarol y Real Madrid. Sin transpirar la camiseta, luciéndose en el toque y en el juego vistoso, Peñarol ganó 2 a 0 ambos partidos.

En la década del 60, Peñarol heredó el cetro de Real Madrid, que había sido el gran equipo de la década anterior. En esos años, Peñarol ganó dos veces la Copa mundial de clubes y fue tres veces campeón de América.

Cuando la primera escuadra del mundo salía a la cancha, sus jugadores advertían a los rivales:

—*¿Trajeron otra pelota para jugar? Porque ésta es sólo nuestra.*

La pelota tenía prohibida la entrada en el arco de Mazurkiewicz, en el medio campo obedecía al *Tito* Gonçalves y adelante zumbaba en los pies de Spencer y Joya. A las órdenes del *Pepe* Sasía, rompía la red. Pero ella disfrutaba, sobre todo, cuando la hamacaba Pedro Rocha.

# Gol de Rocha

Fue en 1969. Peñarol jugaba contra Estudiantes de La Plata. Rocha estaba en el centro de la cancha, de espaldas al área rival y con dos jugadores encima, cuando recibió la pelota de Matosas. Entonces la durmió en el pie derecho, con la pelota en el pie se dio vuelta, la enganchó por detrás del otro pie y escapó de la marca de Echecopar y Taverna. Pegó tres zancadas, se la dejó a Spencer y siguió corriendo. Recibió la devolución por alto, en la media luna del área. Paró la pelota con el pecho, se desprendió de Madero y de Spadaro y disparó de volea. El arquero, Flores, ni la vio.

Pedro Rocha se deslizaba como serpiente en el pasto. Jugaba con placer, regalaba placer: el placer del juego, el placer del gol. Hacía lo que quería con la pelota, y ella le creía todo.

## Pobre mi madre querida

A fines de los años sesenta, el poeta Jorge Enrique Adoum regresó al Ecuador, después de mucha ausencia. No bien llegó, cumplió con el ritual obligatorio de la ciudad de Quito: se fue al estadio, a ver jugar al equipo del Aucas. Era un partido importante y el estadio estaba repleto.

Antes del comienzo, se hizo un minuto de silencio por la madre del árbitro, muerta en la víspera. Todos se pusieron en pie, todos callaron. Acto seguido, un dirigente pronunció un discurso destacando la actitud del deportista ejemplar que iba a arbitrar el partido, cumpliendo con su deber en las más tristes circunstancias. Al centro de la cancha, cabizbajo, el hombre de negro recibió el cerrado aplauso del público. Adoum pestañeó, se pellizcó un brazo: no podía creer. ¿En qué país estaba? Mucho habían cambiado las cosas. Antes, la gente sólo se ocupaba del árbitro para gritarle *hijo de puta*.

Y empezó el partido. A los quince minutos, estalló el estadio: gol del Aucas. Pero el árbitro anuló el gol, por fuera de juego, y de inmediato la multitud recordó a la difunta autora de sus días:

—*¡Huérfano de puta!* —rugieron las tribunas.

# Las lágrimas no vienen del pañuelo

El fútbol, metáfora de la guerra, puede convertirse, a veces, en guerra de verdad. Y entonces la *muerte súbita* deja de ser solamente el nombre de una dramática manera de desempatar partidos. En nuestro tiempo, el fanatismo del fútbol ha invadido el lugar que antes estaba reservado solamente al fervor religioso, al ardor patriótico y a la pasión política. Como ocurre con la religión, con la patria y con la política, muchos horrores se cometen en nombre del fútbol y muchas tensiones estallan por su intermedio.

Hay quienes creen que los hombres poseídos por el demonio de la pelota echan espuma entre los dientes, y hay que reconocer que así retratan bastante bien a más de un hincha enloquecido; pero hasta los más indignados fiscales tendrían que admitir que, en la mayoría de los casos, la violencia que desemboca en el fútbol no viene del fútbol, del mismo modo que las lágrimas no vienen del pañuelo.

En 1969, estalló la guerra entre Honduras y El Salvador, dos países centroamericanos pequeños y muy pobres que desde hacía más de un siglo venían acumulando rencores mutuos. Cada uno había servido siempre de explicación mágica para los problemas del otro. ¿Los hondureños no tenían trabajo? Porque los salvadoreños venían a quitárselo. ¿Los salvadoreños pasaban hambre? Porque los hondureños los maltrataban. Cada pueblo creía que su enemigo era el vecino, y las incesantes dictaduras militares de uno y otro país hacían todo lo posible por perpetuar el equívoco.

Esta guerra fue llamada *guerra del fútbol,* porque en los estadios de Tegucigalpa y San Salvador se encendieron las chispas que desencadenaron el incendio. Durante las eliminatorias para el Mundial del 70, empezaron los líos. Hubo grescas, algunos muertos, unos cuantos heridos. A la semana, los dos países rompieron relaciones. Honduras expulsó a cien mil campesinos salvadoreños, que desde siempre trabajaban en las siembras y las cosechas de ese país, y los tanques salvadoreños atravesaron la frontera.

La guerra duró una semana y mató a cuatro mil. Los dos gobiernos, dictaduras fabricadas en la Escuela de las Américas, soplaban los fuegos del odio mutuo. En Tegucigalpa, la consigna era: *Hondureño: toma un leño, mata un salvadoreño.* En San Salvador: *Hay que propinar una lección a estos bárbaros.* Los señores de la tierra y de la guerra no derramaron una gota de sangre, mientras los dos pueblos descalzos, idénticos en su desdicha, se vengaban al revés matándose entre sí con patriótico entusiasmo.

# Gol de Pelé

Fue en 1969. El club Santos jugaba contra el Vasco da Gama en el estadio de Maracaná. Pelé atravesó la cancha en ráfaga, esquivando a los rivales en el aire, sin tocar el suelo, y cuando ya se metía en el arco con pelota y todo, fue derribado.

El árbitro pitó penal. Pelé no quiso tirarlo. Cien mil personas lo obligaron, gritando su nombre.

Pelé había hecho muchos goles en Maracaná. Goles prodigiosos, como aquel de 1961, contra el club Fluminense, cuando había gambeteado a siete jugadores y al arquero también. Pero este penal era diferente: la gente sintió que algo tenía de sagrado. Y por eso hizo silencio el pueblo más bullanguero del mundo. El clamor de la multitud calló de pronto, como obedeciendo una orden: nadie hablaba, nadie respiraba, nadie estaba allí. Súbitamente en las tribunas no hubo nadie, y en la cancha tampoco. Pelé y el arquero, Andrada, estaban solos. A solas, esperaban. Pelé, parado junto a la pelota en el punto blanco del penal. Doce pasos más allá, Andrada, encogido, al acecho, entre los palos.

El guardameta alcanzó a rozarla, pero Pelé clavó la pelota en la red. Era su gol número mil. Ningún otro jugador había hecho mil goles en la historia del fútbol profesional.

Entonces la multitud volvió a existir, y saltó como un niño loco de alegría, iluminando la noche.

## Pelé

Cien canciones lo nombran. A los diecisiete años fue campeón del mundo y rey del fútbol. No había cumplido veinte cuando el gobierno de Brasil lo declaró *tesoro nacional* y prohibió su exportación. Ganó tres campeonatos mundiales con la selección brasileña y dos con el club Santos. Después de su gol número mil, siguió sumando. Jugó más de mil trescientos partidos, en ochenta países, un partido tras otro a ritmo de paliza, y convirtió casi mil trescientos goles. Una vez, detuvo una guerra: Nigeria y Biafra hicieron una tregua para verlo jugar.

Verlo jugar bien valía una tregua y mucho más. Cuando Pelé iba a la carrera, pasaba a través de los rivales, como un cuchillo. Cuando se detenía, los rivales se perdían en los laberintos que sus piernas dibujaban. Cuando saltaba, subía en el aire como si el aire fuera una escalera. Cuando ejecutaba un tiro libre, los rivales que formaban la barrera querían ponerse al revés, de cara a la meta, por no perderse el golazo.

Había nacido en casa pobre, en un pueblito remoto, y llegó a las cumbres del poder y la fortuna, donde los negros tienen prohibida la entrada. Fuera de las canchas, nunca regaló un minuto de su tiempo y jamás una moneda se le cayó del bolsillo. Pero quienes tuvimos la suerte de verlo jugar, hemos recibido ofrendas de rara belleza: momentos de esos tan dignos de inmortalidad que nos permiten creer que la inmortalidad existe.

# El Mundial del 70

En Praga moría Jiri Trnka, maestro del cine de marionetas, y en Londres moría Bertrand Russell, tras casi un siglo de vida muy viva. A los veinte años de edad, el poeta Rugama caía en Managua, peleando solito contra un batallón de la dictadura de Somoza. El mundo perdía su música: se desintegraban los Beatles, por sobredosis de éxito, y por sobredosis de drogas se nos iban el guitarrista Jimi Hendrix y la cantante Janis Joplin. Un ciclón arrasaba Pakistán y un terremoto borraba quince ciudades de los Andes peruanos. En Washington ya nadie creía en la guerra de Vietnam pero la guerra seguía, según el Pentágono los muertos sumaban un millón, mientras los generales norteamericanos huían hacia adelante invadiendo Camboya. Allende iniciaba su campaña hacia la presidencia de Chile, después de tres derrotas, y prometía dar leche a todos los niños y nacionalizar el cobre. Fuentes bien informadas de Miami anunciaban la inminente caída de Fidel Castro, que iba a desplomarse en cuestión de horas. Comenzaba la primera huelga en la historia del Vaticano, en Roma se cruzaban de brazos los funcionarios del Santo Padre, mientras en México movían las piernas los jugadores de dieciséis países y comenzaba el noveno Campeonato Mundial de Fútbol.

Participaron nueve equipos europeos, cinco americanos, Israel y Marruecos. En el partido inaugural, el juez alzó por primera vez una tarjeta amarilla. La tarjeta amarilla, señal de amonestación, y la tarjeta roja, señal de expulsión, no fueron las únicas novedades del Mundial de México. El reglamento autorizó a cambiar dos jugadores en el curso de cada partido. Hasta entonces, sólo el arquero podía ser sustituido, en caso de lesión; y no resultaba muy difícil reducir a patadas al elenco adversario.

Imágenes de la Copa del 70: la estampa de Beckenbauer, con un brazo atado, batiéndose hasta el último minuto; el fervor de Tostão, recién operado de un ojo y aguantándose a pie firme todos los partidos; las volanderías de Pelé en su último Mundial: «Saltamos juntos», contó Burgnich, el defensa italiano que lo marcaba, «pero cuando volví a tierra, vi que Pelé se mantenía suspendido en la altura».

Cuatro campeones del mundo, Brasil, Italia, Alemania y Uruguay, disputaron las semifinales. Alemania ocupó el tercer lugar, Uruguay el cuarto. En la final, Brasil apabulló a Italia 4 a 1. La prensa inglesa comentó: «Debería estar prohibido un fútbol tan bello». El último gol se recuerda de pie: la pelota pasó por todo Brasil, la tocaron los once, y por fin Pelé la puso en bandeja, sin mirar, para que rematara Carlos Alberto, que venía en tromba.

*El Torpedo* Müller, de Alemania, encabezó la tabla de goleadores, con diez tantos, seguido por el brasileño Jairzinho, con siete.

Campeón invicto por tercera vez, Brasil se quedó con la copa Rimet en propiedad. A fines de 1983, la copa fue robada y vendida, después de ser reducida a casi dos quilos de oro puro. Una copia ocupa su lugar en las vitrinas.

## Gol de Jairzinho

Fue en el Mundial del 70. Brasil enfrentaba a Inglaterra. Tostão recibió la pelota de Paulo César y se escurrió hasta donde pudo. Encontró a toda Inglaterra replegada en el área. Hasta la reina estaba allí. Tostão eludió a uno, a otro y a otro más, y pasó la pelota a Pelé. Otros tres jugadores lo ahogaron en el acto: Pelé simuló que seguía viaje y los tres rivales se fueron al humo, pero apretó el freno, giró y dejó la pelota en los pies de Jairzinho, que allá venía. Jairzinho había aprendido a desmarcarse en los campitos de los arrabales más duros de Río de Janeiro: salió disparado como una bala negra, esquivó a un inglés y la pelota, bala blanca, atravesó la meta del arquero Banks.

Fue el gol de la victoria. A paso de fiesta, el ataque brasileño se había sacado de encima a siete custodios. Y la ciudadela de acero había sido derretida por aquel viento caliente que vino del sur.

## La fiesta

Hay algunos pueblos y caseríos del Brasil que no tienen iglesia, pero no existe ninguno sin cancha de fútbol. El domingo es el día que más trabajan los cardiólogos de todo el país. Un domingo normal, cualquiera puede morir de emoción mientras se celebra la misa de la pelota. Un domingo sin fútbol, cualquiera muere de aburrimiento.

Cuando la selección de Brasil naufragó en el Mundial del 66, hubo suicidios, ataques de nervios, banderas patrias a media asta y crespones negros en las puertas, y una bailandera procesión de dolientes cubrió las calles y enterró al fútbol nacional con ataúd y todo. Cuatro años después, Brasil ganó por tercera vez el campeonato mundial. Entonces Nelson Rodrigues escribió que los brasileños dejaron de tener miedo de que se los llevara la perrera, y fueron todos reyes de manto de armiño y erguida corona.

En el Mundial del 70, Brasil jugó un fútbol digno de las ganas de fiesta y la voluntad de belleza de su gente. Ya se había impuesto en el mundo la mediocridad del fútbol defensivo, con todo el cuadro atrás, armando el cerrojo, y adelante uno o dos hombres jugando al solitario; ya habían sido prohibidos el riesgo y la espontaneidad creadora. Y aquel Brasil fue un asombro: presentó una selección lanzada a la ofensiva, que jugaba con cuatro atacantes, Jairzinho, Tostão, Pelé y Rivelino, que a veces eran cinco y hasta seis, cuando Gerson y Carlos Alberto llegaban desde atrás. En la final, esa aplanadora pulverizó a Italia.

Un cuarto de siglo después, semejante audacia sería considerada un suicidio. En el Mundial del 94, Brasil ganó otra final contra Italia. Ganó en la definición por penales, al cabo de ciento veinte minutos sin goles. De no haber sido por los penales, las vallas hubieran seguido invictas por toda la eternidad.

## Los generales y el fútbol

En pleno carnaval de la victoria del 70, el general Médici, dictador del Brasil, regaló dinero a los jugadores, posó para los fotógrafos con el trofeo en las manos y hasta cabeceó una pelota ante las cámaras. La marcha compuesta para la selección, *Pra frente Brasil*, se convirtió en la música oficial del gobierno, mientras la imagen de Pelé volando sobre la hierba ilustraba, en la televisión, los avisos que proclamaban: *Ya nadie detiene al Brasil.* Cuando Argentina ganó el Mundial del 78, el general Videla utilizó con idénticos propósitos la imagen de Kempes imparable como un huracán.

El fútbol es la patria, el poder es el fútbol: *Yo soy la patria,* decían esas dictaduras militares.

Mientras tanto, el general Pinochet, mandamás de Chile, se hizo presidente del club Colo-Colo, el más popular del país, y el general García Meza, que se había apoderado de Bolivia, se hizo presidente del Wilstermann, un club con hinchada numerosa y fervorosa.

El fútbol es el pueblo, el poder es el fútbol: *Yo soy el pueblo,* decían esas dictaduras militares.

## Parpadeos

Eduardo Andrés Maglioni, delantero del club argentino Independiente, se ganó un lugar en el libro Guiness de los récords mundiales. Él fue el jugador que más goles hizo en menos tiempo.

En 1973, al comienzo del segundo tiempo del partido entre Independiente y Gimnasia y Esgrima de La Plata, Maglioni venció tres veces al guardameta Guruciaga, en un minuto y cincuenta segundos.

# Gol de Maradona

Fue en 1973. Se medían los equipos infantiles de Argentinos Juniors y River Plate, en Buenos Aires.

El número 10 de Argentinos recibió la pelota de su arquero, esquivó al delantero centro del River y emprendió la carrera. Varios jugadores le salieron al encuentro: a uno se la pasó por el jopo, a otro entre las piernas y al otro lo engañó de taquito. Después, sin detenerse, dejó paralíticos a los zagueros y al arquero tumbado en el suelo, y se metió caminando con la pelota en la valla rival. En la cancha habían quedado siete niños fritos y cuatro que no podían cerrar la boca.

Aquel equipo de chiquilines, los *Cebollitas*, llevaba cien partidos invicto y había llamado la atención de los periodistas. Uno de los jugadores, *El Veneno*, que tenía trece años, declaró:

—*Nosotros jugamos por divertirnos. Nunca vamos a jugar por plata. Cuando entra la plata, todos se matan por ser estrellas, y entonces vienen la envidia y el egoísmo.*

Habló abrazado al jugador más querido de todos, que también era el más alegre y el más bajito: Diego Armando Maradona, que tenía doce años y acababa de meter ese gol increíble.

Maradona tenía la costumbre de sacar la lengua cuando estaba en pleno envión. Todos sus goles habían sido hechos con la lengua afuera. De noche dormía abrazado a la pelota y de día hacía prodigios con ella. Vivía en una casa pobre de un barrio pobre y quería ser técnico industrial.

# El Mundial del 74

El presidente Nixon estaba contra las cuerdas, las rodillas flojas, golpeado sin pausa por el escándalo del espionaje en el edificio *Watergate*, mientras una sonda espacial viajaba hacia Júpiter y en Washington era declarado inocente el teniente del ejército que había asesinado a cien civiles en Vietnam, que al fin y al cabo no habían sido más que cien, y civiles, y vietnamitas. Morían los novelistas Miguel Ángel Asturias y Pär Lakgervist y el pintor David Alfaro Siqueiros. Agonizaba el general Perón, que había marcado a fuego la historia argentina. Moría Duke Ellington, rey del *jazz*. La hija del rey de la prensa, Patricia Hearst, se enamoraba de sus secuestradores, denunciaba a su padre por cerdo burgués y se ponía a asaltar bancos. Fuentes bien informadas de Miami anunciaban la inminente caída de Fidel Castro, que iba a desplomarse en cuestión de horas.

En Grecia caía la dictadura, y caía la dictadura en Portugal, donde al ritmo de la canción *Grandola, vila morena*, se desataba

 **161**

la revolución de los claveles. La dictadura de Augusto Pinochet se afirmaba en Chile y en España Francisco Franco ingresaba en el hospital Francisco Franco, enfermo del poder y de los años.

En un histórico plebiscito, los italianos votaban por el divorcio, que les parecía preferible a la daga, el veneno y demás métodos que la tradición recomendaba para resolver las disputas conyugales. En una votación no menos histórica, los dirigentes del fútbol mundial elegían a João Havelange presidente de la FIFA, y mientras Havelange desalojaba en Suiza al prestigioso Stanley Rous, en Alemania comenzaba el décimo Campeonato Mundial de Fútbol.

Se estrenaba nueva copa. Era más fea que la Rimet, pero la codiciaban nueve selecciones europeas, cinco americanas y también Australia y Zaire. La Unión Soviética había quedado afuera en la fase previa. Durante los partidos de clasificación para el Mundial, los soviéticos se habían negado a jugar en el Estadio Nacional de Chile, que poco antes había sido campo de concentración y patio de fusilamientos. Entonces la selección chilena había disputado, en ese estadio, el partido más patético de la historia del fútbol: había jugado contra nadie, y en el arco vacío había metido varios goles que fueron ovacionados por el público. Después, en el Mundial, Chile no ganó ningún partido.

Sorpresa: los jugadores holandeses viajaron a Alemania acompañados por sus esposas, novias o amigas, y con ellas se concen-

traron. Era la primera vez que semejante cosa ocurría. Y más sorpresa: los holandeses tenían pies alados y llegaron invictos a la final, con catorce goles a favor y un solo gol en contra, que lo había metido uno de ellos por pura mala suerte. El Mundial del 74 giró alrededor de *la Naranja Mecánica*, la fulminante invención de Cruyff, Neeskens, Rensenbrink, Krol y otros incansables jugadores impulsados por el técnico Rinus Michels.

Al comienzo del último partido, Cruyff intercambió banderines con Beckenbauer. Y ocurrió la tercera sorpresa: el *Kaiser* y los suyos aguaron la fiesta holandesa. Maier, que lo atajaba todo, Müller, que todo lo metía, y Breitner, que todo lo resolvía, se ocuparon de arrojar dos baldes de agua fría sobre el equipo favorito, y contra todo pronóstico los alemanes ganaron 2 a 1. Se repetía, así, la historia del 54 en Suiza, cuando Alemania había vencido a la invencible Hungría.

Detrás de Alemania Federal y de Holanda, entró Polonia. En cuarto lugar, Brasil, que no pudo ser el que había sido. Un jugador polaco, Lato, resultó goleador de la Copa, con siete tantos, seguido por otro polaco, Szarmach, y el holandés Neeskens, ambos con cinco.

# Cruyff

A la selección holandesa la llamaban *la Naranja Mecánica*, pero nada tenía de mecánico aquella obra de la imaginación, que desconcertaba a todos con sus cambios incesantes. Como *la Máquina* de River, también calumniada por el nombre, aquel fuego naranja iba y venía, empujado por un viento sabio que lo traía y lo llevaba: todos atacaban y todos defendían, desplegándose y replegándose vertiginosamente en abanico, y el adversario perdía las huellas ante un equipo donde cada uno era once.

Un periodista brasileño lo llamó la *desorganización organizada*. Holanda tenía música, y el que llevaba la melodía de tantos sonidos simultáneos, evitando el bochinche y el desafine, era Johan Cruyff. Director de orquesta y músico de fila, Cruyff trabajaba más que ninguno.

Este flaquito eléctrico había entrado al club Ajax cuando era niño: mientras su madre atendía la cantina del club, él recogía las pelotas que se iban afuera, limpiaba los zapatos de los jugadores, colocaba los banderines en las puntas del campo y hacía todo lo que le pidieran y nada de lo que le ordenaran. Quería jugar y no lo dejaban, por su físico demasido débil y su carácter demasiado fuerte. Cuando lo dejaron, se quedó. Y siendo un muchacho debutó en la selección holandesa, jugó estupendamente, marcó un gol y desmayó al árbitro de un puñetazo.

Después siguió siendo calentón, trabajador y talentoso. A lo largo de dos décadas ganó veintidós campeonatos, en Holanda y en España. Se retiró a los treinta y siete años, cuando acababa de convertir su último gol, en andas de la multitud que lo acompañó desde el estadio hasta su casa.

# Müller

El técnico del club TSV, de Munich, le había dicho:
—*En esto del fútbol no llegarás muy lejos. Mejor te dedicas a otra cosa.*
En esa época, Gerd Müller trabajaba doce horas diarias en una fábrica textil.

Once años después, en 1974, este jugador retacón y paticorto fue campeón del mundo. Nadie hizo más goles que él en la historia de la Liga alemana y de la selección nacional.

El lobo feroz ni se veía en la cancha. Disfrazado de abuelita, ocultos los colmillos y las pezuñas, se paseaba prodigando pases inocentes y otras obras de caridad. Mientras tanto, sin que nadie se diera cuenta, se deslizaba hacia el área. Ante la valla abierta, se relamía: la red era el encaje de novia de una niña irresistible. Y entonces, desnudo de golpe, lanzaba el mordiscón.

# Havelange

En 1974, después de mucho trepar, Jean Marie Faustin de Godefroid Havelange conquistó la cumbre de la FIFA. Y anunció:

—*Yo he venido a vender un producto llamado fútbol.*

Desde entonces, Havelange ejerce el poder absoluto sobre el fútbol mundial. Con el cuerpo pegado al trono, rodeado por una corte de voraces tecnócratas, Havelange reina en su palacio de Zúrich. Gobierna más países que las Naciones Unidas, viaja más que el Papa y tiene más condecoraciones que cualquier héroe de guerra.

Havelange nació en Brasil, donde es dueño de *Cometa*, la principal empresa de transporte, y de otros negocios especializados en la especulación financiera y en la venta de armas y seguros de vida. Pero sus opiniones son muy poco brasileñas. Un periodista inglés, del *Times* de Londres, le preguntó:

—*¿Qué es lo que le da más placer en el fútbol? ¿La gloria? ¿La belleza? ¿La victoria? ¿La poesía?*

Y él contestó:

—*La disciplina.*

Este anciano monarca ha cambiado la geografía del fútbol y lo ha convertido en uno de los más espléndidos negocios multinacionales. Bajo su mandato, se ha duplicado la cantidad de países en los campeonatos mundiales: eran dieciséis en 1974, serán treinta y dos en 1998. Y por lo que se puede adivinar a través de la neblina de los balances, las ganancias que rinden estos torneos se han multiplicado tan prodigiosamente que aquel famoso milagro bíblico, el de los panes y los peces, parece chiste si se compara.

Los nuevos protagonistas del fútbol mundial, países del África, Medio Oriente y Asia, brindan a Havelange una amplia base de apoyo, pero su poder se nutre, sobre todo, de la asociación con algunas empresas gigantescas, como Coca-Cola y Adidas. Fue Havelange quien logró que la empresa Adidas financiara la candidatura de su amigo Juan Antonio Samaranch a la presidencia del Comité Olímpico Internacional. Samaranch, que durante la dictadura de Franco supo ser hombre de camisa azul y palma extendida, es desde 1980 el otro rey del deporte mundial. Ambos manejan enormes sumas de dinero. Cuánto, no se sabe. Ellos son muy tímidos en eso.

# Los dueños de la pelota

a FIFA, que tiene trono y corte en Zúrich, el Comité Olímpico Internacional, que reina desde Lausana, y la empresa ISL Marketing, que en Lucerna teje sus negocios, manejan los campeonatos mundiales de fútbol y las olimpíadas. Como se ve, las tres poderosas organizaciones tienen su sede en Suiza, un país que se ha hecho famoso por la puntería de Guillermo Tell, la precisión de sus relojes y su religiosa devoción por el secreto bancario. Casualmente, las tres tienen un extraordinario sentido del pudor en todo lo que se refiere al dinero que pasa por sus manos y al que en sus manos queda.

La ISL Marketing posee, al menos hasta fin de siglo, los derechos exclusivos de venta de la publicidad en los estadios, los filmes y videocasetes, las insignias, banderines y mascotas de las competencias internacionales. Este negocio pertenece a los herederos de Adolph Dassler, el fundador de la empresa Adidas, hermano y enemigo del fundador de la competidora Puma. Cuando otorgaron el monopolio de esos derechos a la familia Dassler, Havelange y Samaranch estaban ejerciendo el noble deber de la gratitud. La empresa Adidas, la mayor fabricante de artículos deportivos en

el mundo, había contribuido muy generosamente a edificarles el poder. En 1990, los Dassler vendieron Adidas al empresario francés Bernard Tapie, pero se quedaron con la ISL, que la familia sigue controlando en sociedad con la agencia publicitaria japonesa Dentsu.

El poder sobre el deporte mundial no es moco de pavo. A fines de 1994, hablando en Nueva York ante un círculo de hombres de negocios, Havelange confesó algunos números, lo que en él no es nada frecuente:

—*Puedo afirmar que el movimiento financiero del fútbol en el mundo alcanza, anualmente, la suma de 225 mil millones de dólares.*

Y se vanaglorió comparando esa fortuna con los 136 mil millones de dólares facturados en 1993 por la General Motors, que figura a la cabeza de las mayores corporaciones multinacionales.

En ese mismo discurso, Havelange advirtió que «el fútbol es un producto comercial que debe venderse lo más sabiamente posible», y recordó la ley primera de la sabiduría en el mundo contemporáneo:

—*Hay que tener mucho cuidado con el envoltorio.*

La venta de los derechos para televisión es la veta que más rinde, dentro de la pródiga mina de las competencias internacionales, y la FIFA y el Comité Olímpico Internacional reciben la parte del león de lo que paga la pantalla chica. El dinero se ha multiplicado espectacularmente desde que la tele empezó a trasmitir en directo,

para todos los países, los torneos mundiales. Las Olimpíadas de Barcelona recibieron de la televisión, en 1993, seiscientas treinta veces más dinero que las Olimpíadas de Roma en 1960, cuando la trasmisión sólo llegaba al ámbito nacional.

Y a la hora de decidir cuáles serán las empresas anunciantes de cada torneo, tanto Havelange y Samaranch como la familia Dassler lo tienen claro: hay que elegir a las que pagan más. La máquina que convierte toda pasión en dinero no puede darse el lujo de promover los productos más sanos y más aconsejables para la vida deportiva: lisa y llanamente se pone siempre al servicio de la mejor oferta, y sólo le interesa saber si Mastercard paga mejor o peor que Visa y si Fujifilm pone o no pone sobre la mesa más dinero que Kodak. La Coca-Cola, nutritivo elixir que no puede faltar en el cuerpo de ningún atleta, encabeza siempre la lista. Sus millonarias virtudes la ponen fuera de discusión.

En este fútbol de fin de siglo, tan pendiente del *marketing* y de los *sponsors*, nada tiene de sorprendente que algunos de los clubes más importantes de Europa sean empresas que pertenecen a otras empresas. La Juventus de Turín forma parte, como la Fiat, del grupo Agnelli. El Milan integra la constelación de trescientas empresas del grupo Berlusconi. El Parma es de Parmalat. La Sampdoria, del grupo petrolero Mantovani. La Fiorentina, del productor de cine Cecchi Gori. El Olympique de Marsella fue

lanzado al primer plano del fútbol europeo cuando se convirtió en una de las empresas de Bernard Tapie, hasta que un escándalo de sobornos arruinó al exitoso empresario. El París Saint-Germain pertenece al Canal Plus de la televisión. La Peugeot, *sponsor* del club Sochaux, es también dueña de su estadio. La Philips es la dueña del club holandés PSV de Eindhoven. Se llaman Bayer los dos clubes de la primera división alemana que la empresa financia: el Bayer Leverkusen y el Bayer Uerdingen. El inventor y dueño de las computadoras Astrad es también propietario del club británico Tottenham Hotspur, cuyas acciones se cotizan en bolsa, y el Blackburn Rovers pertenece al grupo Walker. En Japón, donde el fútbol profesional tiene poco tiempo de vida, las principales empresas han fundado clubes y han contratado estrellas internacionales, a partir de la certeza de que el fútbol es un idioma universal que puede contribuir a la proyección de sus negocios en el mundo entero. La empresa eléctrica Furukawa fundó el club Jef United Ichihara y contrató al astro alemán Pierre Littbarski y a los checos Frantisek y Pavel. La Toyota generó al club Nagoya Grampus, que contó en sus filas con el goleador inglés Gary Lineker. El veterano pero siempre brillante Zico jugó para el Kashi-

 **171**

ma, que pertenece al grupo industrial y financiero Sumitomo. Las empresas Mazda, Mitsubishi, Nissan, Panasonic y Japan Airlines también tienen sus propios clubes de fútbol.

El club puede perder dinero, pero este detalle carece de importancia si brinda buena imagen a la constelación de negocios que integra. Por eso la propiedad no es secreta: el fútbol sirve a la publicidad de las empresas y en el mundo no existe un instrumento de mayor alcance popular para las relaciones públicas. Cuando Silvio Berlusconi compró el club Milan, que estaba en bancarrota, inició su nueva era desplegando toda la coreografía de un gran lanzamiento publicitario. Una tarde de 1987, los once jugadores del Milan descendieron lentamente en helicóptero hacia el centro del estadio, mientras en los altavoces cabalgaban las walkirias de Wagner. Bernard Tapie, otro especialista en su propio protagonismo, solía celebrar las victorias del Olympique con grandes fiestas, fulgurantes de fuegos artificiales y rayos láser, donde trepidaban las mejores bandas de música *rock*.

El fútbol, fuente de emociones populares, genera fama y poder. Los clubes que tienen cierta autonomía, y que no dependen directamente de otras empresas, están habitualmente dirigidos por opacos hombres de negocios y políticos de segunda que utilizan al fútbol como una catapulta de prestigio para lanzarse al primer plano de la popularidad. Hay, también, raros casos al revés: hombres que ponen su bien ganada fama al servicio del fútbol, como el cantante inglés Elton John, que fue presidente del Watford, el club de sus amores, o el director de cine Francisco Lombardi, que preside el Sporting Cristal de Perú.

# Jesús

A mediados de 1969, se abrió un gran salón de fiestas, para bodas, bautismos y convenciones, en la sierra española de Guadarrama. En pleno banquete de inauguración, se hundió el piso, se derrumbó el techo y los invitados quedaron sepultados bajo los escombros. Hubo cincuenta y dos muertos. El local había sido construido con subsidios del Estado, pero sin licencia oficial, ni proyecto registrado, ni arquitecto responsable.

El propietario y constructor del efímero edificio, Jesús Gil y Gil, marchó preso. Pasó entre rejas dos años y tres meses, a quince días por muerto, hasta que fue indultado por el generalísimo Franco. No bien salió de la cárcel, Jesús regresó a sus negocios y continuó sirviendo al progreso de la patria en el ramo de la construcción.

Algún tiempo después, este empresario se hizo dueño de un club de fútbol, el Atlético de Madrid. Gracias al fútbol, que lo convirtió en personaje de la televisión y le dio popularidad, Jesús pudo abrir camino a su carrera política. En 1991, fue electo alcalde de Marbella, con la mayor votación de España. En su campaña electoral, prometió que limpiaría de rateros, borrachos y drogatas este centro turístico consagrado al sano esparcimiento de jeques árabes y mafiosos internacionales especializados en el tráfico de armas y de drogas.

El Atlético de Madrid continúa siendo la base de su poder y de su prestigio, aunque el equipo pierde con demasiada frecuencia. Los directores técnicos no duran más que un par de semanas. Jesús Gil y Gil consulta el asunto con su caballo *Imperioso*, un corcel albo y muy semental:

—*Imperioso, hemos perdido.*
—*Lo sé, Gil.*
—*¿Quién tiene la culpa?*
—*No lo sé, Gil.*
—*Sí que lo sabes, Imperioso. La culpa es del técnico.*
—*Pues échalo.*

# El Mundial del 78

En Alemania moría el popular escarabajo de la Volkswagen, en Inglaterra nacía el primer bebé de probeta, en Italia se legalizaba el aborto. Sucumbían las primeras víctimas del sida, una maldición que todavía no se llamaba así. Las Brigadas Rojas asesinaban a Aldo Moro, los Estados Unidos se comprometían a devolver a Panamá el canal usurpado a principios de siglo. Fuentes bien informadas de Miami anunciaban la inminente caída de Fidel Castro, que iba a desplomarse en cuestión de horas. En Nicaragua tambaleaba la dinastía de Somoza, en Irán tambaleaba la dinastía del Sha, los militares de Guatemala ametrallaban una multitud de campesinos en el pueblo de Panzós. Domitila Barrios y otras cuatro mujeres de las minas de estaño iniciaban una huelga de hambre contra la dictadura militar de Bolivia, al rato toda Bolivia estaba en huelga de hambre, la dictadura caía. La dictadura militar argentina, en cambio, gozaba de buena salud, y para probarlo organizaba el undécimo Campeonato Mundial de Fútbol.

Participaron diez países europeos, cuatro americanos, Irán y Túnez. El Papa de Roma envió su bendición. Al son de una marcha militar, el general Videla condecoró a Havelange en la ceremonia de la inauguración, en el Estadio Monumental de Buenos Aires. A unos pasos de allí, estaba en pleno funcionamiento el Auschwitz argentino, el centro de tormento y exterminio de la Escuela de Mecánica de la Armada. Y algunos kilómetros más allá, los aviones arrojaban a los prisioneros vivos al fondo de la mar.

«Por fin el mundo puede ver la verdadera imagen de la Argentina», celebró el presidente de la FIFA ante las cámaras de la televisión. Henry Kissinger, invitado especial, anunció:

—*Este país tiene un gran futuro a todo nivel.*

Y el capitán del equipo alemán, Berti Vogts, que dio la patada inicial, declaró unos días después:

—*Argentina es un país donde reina el orden. Yo no he visto a ningún preso político.*

Los dueños de casa vencieron algunos partidos, pero perdieron ante Italia y empataron con Brasil. Para llegar a la final contra

Holanda, debían ahogar a Perú bajo una lluvia de goles. Argentina obtuvo con creces el resultado que necesitaba, pero la goleada, 6 a 0, llenó de dudas a los malpensados, y a los bienpensados también. Los peruanos fueron apedreados al regresar a Lima.

La final entre Argentina y Holanda se definió por alargue. Ganaron los argentinos 3 a 1, y en cierta medida la victoria fue posible gracias al patriotismo del palo que salvó al arco argentino en el último minuto del tiempo reglamentario. Ese palo, que detuvo un pelotazo de Rensenbrink, nunca fue objeto de honores militares, por esas cosas de la ingratitud humana. De todos modos, más decisivos que el palo resultaron los goles de Mario Kempes, un potro imparable que se lució galopando, con la pelambre al viento, sobre el césped nevado de papelitos.

A la hora de recibir los trofeos, los jugadores holandeses se negaron a saludar a los jefes de la dictadura argentina. El tercer puesto fue para Brasil. El cuarto, para Italia.

Kempes fue el mejor jugador de la Copa y también el goleador, con seis tantos. Detrás figuraron el peruano Cubillas y el holandés Rensenbrink, con cinco goles cada uno.

# La felicidad

Cinco mil periodistas de todo el mundo, un fastuoso centro de prensa y televisión, estadios impecables, aeropuertos nuevos: un modelo de eficiencia. Los periodistas alemanes más veteranos confesaron que el Mundial del 78 les recordaba las Olimpíadas del 36, que Hitler había celebrado, a toda pompa, en Berlín.

Los balances fueron secretos de Estado. Hubo muchos millones de dólares de gastos y de pérdidas, quién sabe cuántos, nunca se supo, para que se difundieran por los cuatro puntos cardinales las sonrisas de un país feliz bajo la tutela militar. Mientras tanto, los altos jefes que organizaban el Mundial continuaban aplicando, por la guerra o por las dudas, su plan de exterminio. La *solución final*, que así la llamaban, asesinó sin dejar rastros a muchos miles de argentinos, quién sabe cuántos, nunca se supo: a quien intentaba averiguarlo, se lo tragaba la tierra. La curiosidad era, como la discrepancia, como la duda, plena prueba de subversión. El presidente de la Sociedad Rural Argentina, Celedonio Pereda, proclamó que gracias al fútbol «se acabará con la difamación que los argentinos descastados hacen correr en los medios informativos de Occidente, utilizando para ello el producto de sus

 **177**

asaltos y secuestros». Ni siquiera se podía criticar a los jugadores, ni al técnico. La selección argentina sufrió algunos traspiés a lo largo del campeonato, pero fue obligatoriamente aplaudida por los comentaristas locales.

Para maquillar su imagen internacional, la dictadura pagó medio millón de dólares a una empresa norteamericana especializada. El informe de los expertos de la Burson-Masteller se titulaba: *Lo que es cierto para los productos es cierto para los países.* El almirante Carlos Alberto Lacoste, hombre fuerte del Mundial, explicaba en una entrevista:

—*Si yo voy a Europa o a los Estados Unidos, ¿qué me impresiona más? Las grandes obras, los grandes aeropuertos, los coches formidables, las confiterías de lujo...*

El almirante, ilusionista diestro en la evaporación de dólares y la fabricación de fortunas súbitas, se apoderó del Mundial a partir del misterioso asesinato de otro militar encargado de la tarea. Lacoste manejó sin control inmensas sumas de dinero y al parecer se quedó, por distraído, con algunos vueltos. El propio Secretario de Hacienda de la dictadura, Juan Alemann, cuestionó aquel despilfarro de fondos públicos y formuló algunas preguntas inconvenientes. El almirante tenía la costumbre de advertir:

—*Después no se quejen si les ponen una bomba...*

Y una bomba estalló en casa de Alemann, en el exacto momento en que los argentinos gritaban el cuarto gol del partido contra Perú.

Al fin del Mundial, en recompensa por sus afanes, el almirante Lacoste fue nombrado vicepresidente de la FIFA.

## Gol de Gemmill

Fue en el Mundial del 78. Holanda, que venía bien, jugaba contra Escocia, que venía muy mal. El jugador escocés Archibald Gemmill recibió la pelota de su compatriota Hartford y tuvo la gentileza de invitar a los holandeses a bailar al son de un solo de gaita.

Wildschut fue el primero en caer, mareado, a los pies de Gemmill. Después dejó atrás a Suurbier, que quedó trastabillando. A Krol le fue peor: Gemmill se la pasó entre las piernas. Y cuando el arquero Jongbloed se le vino encima, el escocés le puso la pelota de sombrero.

## Gol de Bettega

Fue en el Mundial del 78. Italia venció 1 a 0 a la selección dueña de casa.

La jugada del gol italiano dibujó en la cancha un triángulo perfecto, dentro del cual la defensa argentina quedó más perdida que ciego en tiroteo. Antognoni deslizó la pelota a Bettega, que la cacheteó hacia Rossi, que estaba de espaldas, y Rossi se la devolvió de taquito mientras Bettega se infiltraba en el área. Bettega desbordó a dos jugadores y venció de un zurdazo al arquero Fillol.

Aunque nadie lo sabía, el equipo italiano ya había empezado a ganar el Mundial de cuatro años después.

# Gol de Sunderland

Fue en 1979. En el estadio de Wembley, Arsenal y Manchester United disputaban la final de la Copa inglesa.

Un buen partido, pero nada permitía sospechar que de pronto iba a convertirse en la más eléctrica final de cuantas han acontecido, desde 1871, en la larga historia de la Copa. Iba ganando el Arsenal, 2 a 0, y poco faltaba para terminar. El partido estaba liquidado, ya la gente se marchaba del estadio. Y súbitamente se descargó una tormenta de goles. *Tres goles en dos minutos*: un certero remate de McQueen y una linda penetración de McIlroy, que eludió a dos defensas y también al arquero, dieron el empate al Manchester entre el minuto 86 y el 87, y antes de que se cumpliera el minuto 88, el Arsenal recuperó la victoria.

Alan Brady, que fue, como de costumbre, la gran figura del partido, armó la jugada del 3 a 2 definitivo, y Alan Sunderland la culminó con un limpio disparo.

## El Mundial del 82

**M**efisto, de István Szabó, una obra maestra sobre el arte y la traición, ganaba el Oscar de Hollywood, mientras en Alemania se apagaba temprano la vida de Fassbinder, un creador de cine de tormento y talento. Se suicidaba Romy Schneider, Sofía Loren marchaba presa por evadir impuestos. En Polonia iba a la cárcel Lech Walesa, el jefe de los sindicatos obreros.

García Márquez recibía el Nobel en nombre de los poetas, mendigos, músicos, profetas, guerreros y malandrines de América Latina. Matanza del ejército en una aldea de El Salvador: más de setecientos campesinos caían acribillados, la mitad eran niños. En Guatemala, el general Ríos Montt asaltaba el poder, para multiplicar la carnicería de los indios: proclamaba que Dios le había confiado el mando del país y anunciaba que el Espíritu Santo iba a dirigir sus servicios de inteligencia.

Egipto recuperaba la península del Sinaí, ocupada por Israel desde la guerra de los seis días. El primer corazón artificial latía en el pecho de alguien. Fuentes bien informadas de Miami anunciaban la inminente caída de Fidel Castro, que iba a desplomarse en cuestión de horas. En Italia, el Papa sobrevivía a su segundo atentado. En España, recibían condena de treinta años los oficiales que habían organizado el asalto al Congreso de Diputados y Felipe González iniciaba su fulminante carrera hacia la presidencia del gobierno, mientras se inauguraba en Barcelona el duodécimo Campeonato Mundial de Fútbol.

Participaron veinticuatro países, ocho más que en el anterior, pero América no salió beneficiada en el nuevo reparto: hubo catorce equipos europeos, seis americanos y dos africanos, además de Kuwait y Nueva Zelanda.

En la primera jornada, el equipo argentino, campeón mundial, cayó derrotado en Barcelona. Pocas horas después, muy lejos de allí, en las islas Malvinas, los militares argentinos fueron vencidos en su guerra contra Inglaterra. Los atroces generales, que en varios años de dictadura habían ganado la guerra contra sus propios compatriotas, se rindieron mansamente ante los militares ingleses. La televisión trasmitió la imagen: el oficial de Marina Alfredo Astiz, violador de todos los derechos humanos, inclinaba la cabeza y firmaba el documento de la humillación.

 **183**

A lo largo de los días siguientes, la tele mostró las imágenes de la Copa del 82: la túnica al viento del jeque Fahid Al-Ahmad Al-Sabah, que invadió la cancha para protestar un gol de Francia contra Kuwait; el gol del inglés Bryan Robson al medio minuto, el más rápido de la historia de los mundiales; la indiferencia del arquero alemán Schumacher, después de haber desmayado de un rodillazo al delantero francés Battiston. (Antes de ser guardameta, Schumacher había sido herrero.)

Europa ganó los primeros puestos del campeonato, aunque Brasil exhibió el mejor fútbol en los pies de Zico, Falcão y Sócrates. La selección brasileña no tuvo suerte pero deleitó al público, y Zico, que venía de ganar el título de mejor jugador de América, supo justificar una vez más la *zicomanía* de las tribunas.

La Copa fue para Italia. La selección italiana había empezado mal, a los tropezones, de empate en empate, pero repuntó después, gracias a su buena armazón de conjunto y a las oportunas ráfagas de Paolo Rossi. En la final contra Alemania, Italia se impuso 3 a 1.

Polonia, guiada por la buena música de Boniek, entró en tercer lugar. El cuarto puesto fue para Francia, que había merecido más por la eficacia europea y la alegría africana de su memorable línea media.

El italiano Rossi encabezó la tabla de goleadores, con seis goles, seguido por el alemán Rummenigge, que metió cinco tantos y prodigó fulgores.

# Las peras del olmo

Alain Giresse formó, junto a Platini, Tigana y Genghini, la más espectacular línea media del Mundial del 82 y de toda la historia del fútbol francés. En la pantalla del televisor, Giresse era tan chiquito que siempre parecía que estaba lejos.

El húngaro Puskas era retacón y gordo, como el alemán Seeler. Eran jugadores de físico frágil el holandés Cruyff y el italiano Gianni Rivera. Pelé tenía pie plano, como Néstor Rossi, el sólido centrocampista argentino. El brasileño Rivelino registraba el peor rendimiento en el *test* de Cooper, pero en la cancha no había quién le diera captura, y su compatriota Sócrates tenía cuerpo de garza, altas piernas flaquísimas y pies pequeños que se cansaban fácil, pero era un maestro del taquito, y se daba el lujo de convertir penales con el talón.

Se equivocan feo quienes creen que las medidas físicas y los índices de velocidad y de fuerza determinan la eficacia de un jugador de fútbol, como se equivocan feo quienes creen que los tests de inteligencia tienen algo que ver con el talento o que existe alguna relación entre el tamaño del pene y el placer sexual. Los buenos jugadores de fútbol pueden no ser titanes tallados por Miguel Ángel, ni mucho menos. En el fútbol, la habilidad es más determinante que las condiciones atléticas, y en muchos casos la habilidad consiste en el arte de convertir las limitaciones en virtudes.

El colombiano Carlos Valderrama tiene los pies torcidos, y la chuequera le sirve para esconder mejor la pelota. Lo mismo ocurría con los pies chuecos de Garrincha. ¿Dónde está la pelota? ¿En la oreja? ¿Dentro del zapato? ¿Dónde se ha ido? El uruguayo *Cococho Álvarez*, que caminaba cojeando, tenía un pie apuntando al otro, y fue uno de los pocos defensas que pudo controlar a Pelé sin golpearlo.

Fueron dos petisos más bien gorditos, Romario y Maradona, las estrellas del Mundial del 94. Y tienen esa misma estatura dos atacantes uruguayos que triunfaron en Italia en estos últimos años, Rubén Sosa y Carlos Aguilera. Gracias a su minúsculo tamaño, el brasileño Leônidas, el inglés Kevin Keegan, el irlandés George Best y el danés Allan Simonsen, llamado *la Pulga*, conseguían escurrirse a través de las defensas impenetrables y se zafaban fácilmente de los zagueros grandotes, que les daban con todo pero no conseguían pararlos. También había sido chiquito pero blindado Félix Loustau, el puntero izquierdo de *la Máquina* de River Plate, y lo llamaban *el Ventilador* porque era el que daba aire al resto del cuadro, haciéndose perseguir por los rivales. Los hombres de Liliput pueden cambiar de ritmo y acelerar bruscamente, sin que se les derrumbe el alto edificio del cuerpo.

# Platini

Tampoco Michel Platini tenía físico de atleta. En 1972, el médico del club Metz informó que Platini adolecía de *insuficiencia cardíaca y débil capacidad respiratoria.* El informe alcanzó para que el Metz rechazara a este aspirante a jugador, aunque el médico no vio que Platini tenía, además, tobillos rígidos, que lo exponían a fracturas fáciles, y tendencia a engordar, por su pasión por las pastas. De todos modos, diez años después, poco antes del Mundial de España, el defectuoso se vengó: su equipo, el Saint Etienne, goleó al Metz 9 a 2.

Platini fue la síntesis de lo mejor del fútbol francés: reunía la puntería de Justo Fontaine, que en el Mundial del 58 metió trece goles, un récord jamás superado, y la movilidad y la astucia de Raymond Kopa. Platini no sólo ofrecía, en cada partido, un recital de goles de ilusionista, de esos que no pueden ser de verdad, sino que también encandilaba al público con su capacidad para organizar el juego de todo el equipo. Bajo su dirección, la selección francesa exhibía un fútbol armonioso, construido y disfrutado paso a paso, a medida que cada jugada crecía: todo lo contrario del centro a la olla, embestida al bulto y que Dios se apiade. En las semifinales del Mundial del 82, Francia fue derrotada por Alemania, que ganó por penales. Aquél fue un duelo entre Platini y Rummenigge, que estaba lesionado y que de todos modos saltó al terreno de juego y decidió el partido. Después, en la final, Alemania cayó ante Italia. Ni Platini ni Rummenigge, dos de los jugadores que han hecho historia en el fútbol, pudieron nunca darse el gusto de ganar un campeonato mundial.

 **187**

## Los sacrificios de la fiesta pagana

En 1985, los *hooligans*, fanáticos de triste fama, mataron a treinta y nueve hinchas italianos en las gradas del viejo estadio Heysel, en Bruselas. El club inglés Liverpool estaba disputando la final de la Copa de Europa ante el Juventus de Italia, cuando los *hooligans* embistieron. Los italianos, acorralados contra un muro, cayeron aplastándose entre sí o fueron arrojados al vacío. La televisión trasmitió en directo la carnicería y también trasmitió el partido, que no se suspendió.

A partir de entonces, Italia fue territorio prohibido para los hinchas ingleses, aunque portaran certificados de buena educación. En el Mundial del 90, Italia no tuvo más remedio que permitir el ingreso de los hinchas a la isla de Cerdeña, donde iba a jugar la selección inglesa, pero entre ellos eran más numerosos los agentes de Scotland Yard que los adictos al fútbol, y el propio ministro de Deportes del gobierno británico se encargó de vigilarlos en persona.

Un siglo antes, en 1890, advertía el diario londinense *The Times*: «Nuestros hooligans van de mal en peor, y lo peor es que se multiplican. Ellos son una monstruosa excrecencia de nuestra civilización». En nuestros días, la tal excrecencia sigue dedicándose al crimen con el pretexto del fútbol.

Donde los *hooligans* aparecen, siembran el pánico. Llevan el cuerpo tatuado por fuera y por dentro relleno de alcohol, diversos chirimbolos patrióticos les cuelgan del pescuezo y de las orejas, usan manoplas y cachiporras y transpiran violencia a chorros mientras aúllan *Rule Britannia* y otros rencores del Imperio perdido. En Inglaterra y en otros países, los matones también ostentan, con frecuencia, símbolos nazis, y proclaman su odio a los negros, los árabes, los turcos, los pakistaníes o los judíos:

—¡Que se vayan al África! —rugía un *ultra* del Real Madrid, que disfrutaba aporreando negros «porque han venido a quitarme el trabajo».

Con el pretexto del fútbol, los naziskins italianos silban a los jugadores negros y llaman *judíos* a los hinchas enemigos:

—*Ebrei!* —les gritan.

Pero las barras bravas, que ofenden al fútbol como el borracho ofende al vino, no son un triste privilegio europeo. Casi todos

los países las padecen, quien más, quien menos, y los perros rabiosos del fútbol se multiplican en los tiempos que corren. Hasta hace algunos años, Chile tenía las hinchadas más cordiales que he visto: hombres, y también mujeres y niños, capaces de ofrecer espectáculos musicales que en las tribunas competían con jurado y todo. Hoy día, el club chileno Colo-Colo cuenta con sus pandilleros metelíos, *la Garra Blanca*, y los del club Universidad de Chile se llaman *los de Abajo*.

En 1993, Jorge Valdano calculaba que en los últimos quince años habían muerto más de cien personas, víctimas de la violencia, en los estadios argentinos. La violencia, decía Valdano, crece en proporción directa a las injusticias sociales y a las frustraciones que la gente acumula en su vida cotidiana. Las barras bravas se nutren, en todas partes, de jóvenes atormentados por la falta de trabajo y de esperanza. Unos meses después de esas declaraciones, el club Boca Juniors, de Buenos Aires, fue derrotado 2 a 0 por River Plate, su rival tradicional. A la salida del estadio, dos hinchas de River cayeron muertos a tiros. «Empatamos dos a dos», comentó un muchacho, hincha de Boca, que la televisión entrevistó.

En una crónica que escribió en otros tiempos, y a propósito de otros deportes, Dione Crisóstomo retrató a los hinchas romanos del siglo segundo después de Cristo: «Cuando van al estadio, es como si descubriesen un depósito de drogas. Se olvidan completamente de sí mismos y sin ninguna vergüenza dicen y hacen lo primero que les viene a la cabeza». La peor catástrofe de la historia del deporte ocurrió allí, en Roma, cuatro siglos después. En el año 512, miles de personas murieron —dicen que treinta mil, cuesta creerlo— en una guerra callejera que durante varios días enfrentó a dos hinchadas enemigas. Pero no eran hinchadas de fútbol, sino de carreras de cuadrigas.

En los estadios de fútbol, la tragedia que más víctimas ha cobrado fue la de 1964, en la capital del Perú. Cuando el árbitro anuló un gol, en los minutos finales de un partido contra Argentina, llovieron naranjas, latas de cerveza y otros proyectiles desde las tribunas ardientes de furia. Los gases y los balazos de los policías provocaron, entonces, una estampida. La carga policial aplastó a la multitud contra las puertas de salida, que estaban cerradas. Hubo más de trescientos muertos. Esa noche, un gentío protestó en las calles de Lima: la manifestación protestó contra el árbitro, no contra la policía.

# El Mundial del 86

*aby Doc* Duvalier huía de Haití, robándose todo, y robándose todo huía Ferdinand Marcos de Filipinas, mientras los archivos norteamericanos revelaban, más vale tarde que nunca, que Marcos, el alabado héroe filipino de la segunda guerra mundial, había sido en realidad un desertor.

El cometa Halley visitaba nuestro cielo después de mucha ausencia, se descubrían nueve lunas en torno al planeta Urano, aparecía el primer agujero en la capa de ozono que nos protege del sol. Se difundía una nueva droga, hija de la ingeniería genética, contra la leucemia. En el Japón se suicidaba una cantante de moda y tras ella elegían la muerte veintitrés de sus devotos. Un terremoto dejaba sin casa a doscientos mil salvadoreños y la catástrofe de la central nuclear soviética de Chernobyl desataba una lluvia de veneno radiactivo, imposible de medir y de parar, sobre quién sabe cuántas leguas y gentes.

Felipe González decía sí a la OTAN, la alianza militar atlántica, después de haber gritado *no*, y un plebiscito bendecía el viraje mientras España y Portugal entraban al mercado común europeo. El mundo lloraba la muerte de Olof Palme, el primer ministro de Suecia, asesinado en la calle. Tiempos de luto para las artes y las letras: se nos iban el escultor Henry Moore y los escritores Simone de Beauvoir, Jean Genet, Juan Rulfo y Jorge Luis Borges.

Estallaba el escándalo Irangate, que implicaba al presidente Reagan, a la CIA y a los *contras* de Nicaragua en el tráfico de armas y de drogas, y estallaba la nave espacial *Challenger*, al despegar de Cabo Cañaveral, con siete tripulantes a bordo. La aviación norteamericana bombardeaba Libia y mataba a una hija del coronel Gaddafi, para castigar un atentado que años después se atribuyó a Irán.

En una cárcel de Lima morían ametrallados cuatrocientos presos. Fuentes bien informadas de Miami anunciaban la inminente caída de Fidel Castro, que iba a desplomarse en cuestión de horas. Se habían desplomado muchos edificios sin cimientos, con toda la gente adentro, cuando un terremoto había sacudido a la ciudad de México, el año anterior, y buena parte de la ciudad estaba todavía en ruinas mientras se inauguraba allí el decimotercer Campeonato Mundial de Fútbol.

En la Copa del 86, participaron catorce países europeos y seis americanos, además de Marruecos, Corea del Sur, Irak y Argelia. En México nació *la ola* en las tribunas, que a partir de entonces suele mover a las hinchadas del mundo al ritmo de la mar bravía. Hubo partidos de esos que ponen los pelos de punta, como el de Francia contra Brasil, donde los jugadores infalibles, Platini, Zico, Sócrates, fracasaron en los penales; y hubo dos goleadas espectaculares de Dinamarca, que propinó seis tantos a Uruguay y recibió cinco de España.

Pero éste fue el Mundial de Maradona. Contra Inglaterra, Maradona vengó con dos goles de zurda al orgullo patrio malherido en las Malvinas: hizo uno con la mano izquierda, que él llamó *mano de Dios*, y el otro con la pierna izquierda, después de haber tumbado por los suelos a la defensa inglesa.

Argentina disputó la final contra Alemania. Fue de Maradona el pase decisivo, que dejó solo a Burruchaga para que Argentina se impusiera 3 a 2 y ganara el campeonato cuando ya el reloj señalaba el fin del partido, pero antes había ocurrido otro gol memorable: Valdano arrancó con la pelota desde el arco argentino, cruzó toda la cancha y cuando Schumacher le salió al cruce, la colocó contra el poste derecho. Valdano venía hablando con la pelota, le venía rogando:

—*Por favor, entrá.*

Francia se clasificó en tercer lugar, seguida por Bélgica. El inglés Lineker encabezó la tabla de goleadores, con seis tantos. Maradona hizo cinco goles, como el brasileño Careca y el español Butragueño.

## La telecracia

Hoy por hoy, el estadio es un gigantesco estudio de televisión. Se juega para la tele, que te ofrece el partido en casa. Y la tele manda.

En el Mundial del 86, Valdano, Maradona y otros jugadores protestaron porque los principales partidos se jugaban al mediodía, bajo un sol que freía lo que tocaba. El mediodía de México, anochecer de Europa, era el horario que convenía a la televisión europea. El arquero alemán, Harald Schumacher, contó lo que ocurría:

—*Sudo. Tengo la garganta seca. La hierba está como la mierda seca: dura, extraña, hostil. El sol cae a pique sobre el estadio y estalla sobre nuestras cabezas. No proyectamos sombras. Dicen que esto es bueno para la televisión.*

¿La venta del espectáculo importaba más que la calidad del juego? Los jugadores están para patear, no para patalear; y Havelange puso punto final al enojoso asunto:

—*Que jueguen y se callen la boca* —sentenció.

¿Quién dirigió el Mundial del 86? ¿La Federación Mexicana de Fútbol? No, por favor, basta de intermediarios: lo dirigió Guillermo Cañedo, vicepresidente de Televisa y presidente de la cadena internacional de la empresa. Éste fue el Mundial de Televisa, el monopolio privado que es dueño del tiempo libre de los mexicanos y es también dueño del fútbol de México. Y nada importaba más que el dinero que Televisa podía recibir, junto con la FIFA, por las trasmisiones a los mercados europeos. Cuando un periodista mexicano cometió la insolencia de preguntar por los gastos y las ganancias del Mundial, Cañedo lo cortó en seco:

—*Ésta es una empresa privada que no tiene por qué rendir cuentas a nadie.*

Concluido el Mundial, Cañedo continuó siendo cortesano de Havelange en una de las vicepresidencias de la FIFA, otra empresa privada que tampoco rinde cuentas a nadie.

Televisa no sólo tiene en sus manos las trasmisiones nacionales e internacionales del fútbol mexicano, sino que además posee tres de los clubes de primera división: la empresa es dueña del América, el más poderoso, del Necaxa y del Atlante.

En 1990, Televisa hizo una feroz exhibición de su poder sobre el fútbol mexicano. En aquel año, el presidente del club Puebla, Emilio Maurer, tuvo una idea mortal: se le ocurrió que Televisa bien podía desembolsar más dinero por sus derechos exclusivos para la trasmisión de los partidos. La iniciativa de Maurer encontró buen eco en algunos dirigentes de la Federación Mexicana de Fútbol. Al fin y al cabo, el monopolio pagaba poco más de mil dólares a cada club, mientras ganaba fortunas vendiendo los espacios de publicidad.

Televisa enseñó, entonces, quién es el amo. Maurer sufrió un bombardeo implacable: de buenas a primeras se encontró con que sus negocios y su casa habían sido embargados por deudas, fue amenazado, fue asaltado, fue declarado fuera de la ley y se libró contra él una orden de captura. Además, el estadio de su club, el Puebla, amaneció un mal día clausurado sin aviso. Pero los métodos mafiosos no bastaron para bajarlo del caballo, de modo que no hubo más remedio que meter a Maurer en la cárcel y barrerlo

del club rebelde y de la Federación Mexicana de Fútbol, junto con todos sus aliados.

En todo el mundo, por medios directos o indirectos, la tele decide dónde, cuándo y cómo se juega. El fútbol se ha vendido a la pantalla chica en cuerpo y alma y ropa. Los jugadores son, ahora, estrellas de la tele. ¿Quién compite con sus espectáculos? El programa que en 1993 tuvo la mayor audiencia en Francia y en Italia fue la final de la Copa europea de campeones, que disputaron el Olympique de Marsella y el Milan. El Milan, como se sabe, pertenece a Silvio Berlusconi, el zar de la televisión italiana. Bernard Tapie no era el dueño de la televisión francesa, pero su club, el Olympique, había recibido de la pantalla chica, en 1993 trescientas veces más dinero que en 1980. Razones no le faltaban para tenerle cariño.

Ahora pueden ver los partidos millones de personas, y no sólo los millares que caben en los estadios. Los hinchas se han multiplicado y se han convertido en posibles consumidores de cuanta cosa quieran vender los manipuladores de imágenes. Pero, a diferencia del béisbol y del baloncesto, el fútbol es un juego continuo, que no ofrece muchas interrupciones útiles para pasar publicidad. Un solo intervalo no alcanza. La televisión norteamericana ha propuesto corregir este desagradable defecto dividiendo los partidos en cuatro tiempos de veinticinco minutos, y Havelange está de acuerdo.

# En serio y en serie

D on Howe, técnico de la selección inglesa, afirmaba en 1987:
—*Jamás podrá ser un buen futbolista el jugador que se sienta contento después de perder un partido.*
El fútbol profesional, cada vez más rápido, cada vez menos bello, tiende a convertirse en un certamen de velocidad y fuerza, que tiene por combustible el pánico de perder.

Se corre mucho, se arriesga poco o nada. La audacia no es rentable. En cuarenta años, entre el Mundial del 54 y el del 94, el promedio de goles se ha reducido a la mitad, aunque en el 94 se otorgó un punto más a cada victoria, con la intención de desalentar el empate. Aplaudida eficiencia de la mediocridad: cada vez abundan más, en el fútbol moderno, los equipos integrados por funcionarios especializados en evitar la derrota, y no por jugadores que corren el peligro de actuar con inspiración y dejarse llevar por la improvisación.

El jugador chileno Carlos Caszely se burlaba del fútbol avaro:

—*Es la táctica del murciélago* —decía—. *Los once jugadores colgados del travesaño.*

Y el jugador ruso Nikolai Stárostin se quejaba del fútbol dirigido a control remoto:

—*Ahora los jugadores parecen todos iguales. Si les cambian las camisetas, nadie los reconoce. Todos juegan igual.*

Jugar en serio y en serie, ¿es jugar? Según los entendidos en la raíz y el sentido de las palabras, jugar es bromear, y la palabra *salud* expresa la máxima libertad del cuerpo. La controlada eficacia de las repeticiones mecánicas, enemiga de la salud, está enfermando al fútbol.

Ganar sin magia, sin sorpresa ni belleza, ¿no es peor que perder? En 1994, durante el campeonato español, el Real Madrid fue derrotado por el Sporting de Gijón. Pero los hombres del Real Madrid habían jugado con entusiasmo, palabra que por su origen significa «tener a los dioses adentro». El técnico, Jorge Valdano, recibió con buena cara a los jugadores en el vestuario:

—*Cuando se juega así* —les dijo— *hay permiso para perder.*

 **199**

## Las farmacias que corren

En el Mundial del 54, cuando Alemania pegó el asombroso acelerón que dejó a los húngaros en la cuneta, Ferenc Puskas dijo que el vestuario alemán olía a jardín de amapolas, y que algo tenía que ver eso con el hecho de que los vencedores hubieran corrido como trenes.

En 1987, el arquero de la selección alemana, Harald Toni Schumacher, publicó un libro donde decía:

—*Aquí sobran drogas y faltan mujeres* —refiriéndose al fútbol alemán y, por extensión, a todo el fútbol profesional. En su libro, *Der anpfiff* (*El pitazo inicial*), Schumacher contó que los jugadores de la selección alemana habían recibido, en el Mundial del 86, una incontable cantidad de inyecciones y pastillas y grandes dosis de una misteriosa agua mineral que provocaba diarreas. Aquel equipo, ¿representaba a su país o a la industria química germana? Hasta para dormir, los jugadores estaban obligados a tomar pastillas. Schumacher las escupía, porque para dormir prefería la cerveza.

El guardameta confirmó que en el fútbol profesional es frecuente el consumo de drogas anabolizantes y estimulantes. Obligados por la ley del rendimiento, que exige ganar como sea y genera ansiedad y angustia, muchos jugadores se convierten en farmacias que corren. Y el mismo sistema que los condena *a eso*, también los condena *por eso* cada vez que se destapa el asunto. Schumacher, que reconocía que también él se había dopado alguna vez, fue acusado de traición a la patria. El ídolo popular, vicecampeón en dos torneos mundiales, cayó del santuario y fue arrojado a las patas de los caballos. Desalojado de su equipo, el Colonia, perdió su puesto en la selección nacional y no tuvo más remedio que irse a jugar a Turquía.

## Los cánticos del desprecio

En los mapas no figura, pero está. Es invisible, pero está. Hay una pared que pone en ridículo la memoria del Muro de Berlín: alzada para separar a los que tienen de los que necesitan, ella divide al mundo entero en norte y sur, y también traza fronteras dentro de cada país y dentro de cada ciudad. Cuando el sur del mundo comete la osadía de saltar esa pared y se mete donde no debe, el norte le recuerda, a palos, cuál es su lugar. Y lo mismo ocurre con las invasiones desde las zonas malditas de cada país y de cada ciudad.

El fútbol, espejo de todo, refleja esta realidad. A mediados de los años ochenta, cuando el club Nápoles se puso a jugar el mejor fútbol de Italia gracias al mágico influjo de Maradona, el público del norte del país reaccionó desenvainando las viejas armas del desprecio. Los napolitanos, usurpadores de la gloria prohibida, estaban arrebatando sus trofeos a los poderosos de siempre, y ellos castigaron aquella insolencia de la chusma intrusa venida del sur. Desde las tribunas de los estadios de Milán o Turín, los carteles

 **201**

insultaban: *Napolitanos, bienvenidos a Italia*, o ejercían la cruel-
dad: *Vesubio, contamos contigo*.

Y con más fuerza que nunca resonaron los cánticos hijos del
miedo y nietos del racismo:

> *Qué mal olor,*
> *hasta los perros huyen,*
> *los napolitanos están llegando.*
> *Oh colerosos, terremotados,*
> *con jabón jamás lavados.*
> *Nápoles mierda, Nápoles cólera,*
> *eres la vergüenza de toda Italia.*

En Argentina, ocurre lo mismo con el club Boca Juniors. Boca
es el cuadro preferido por el pobrerío de pelo chuzo y piel morena
que ha invadido a la señorial ciudad de Buenos Aires, en vento-
leras, desde los yuyales del interior y desde los países vecinos. Las
hinchadas enemigas exorcizan al temido demonio:

> *Ya todos saben que la Boca está de luto,*
> *son todos negros, son todos putos.*
> *Hay que matar a los bosteros,*
> *son todos putos, todos villeros,*
> *hay que tirarlos al Riachuelo.*

# Vale todo

En 1988, el periodista mexicano Miguel Ángel Ramírez denunció una fuente de Juvencia. Algunos jugadores de la selección juvenil de México, que estaban pasados de edad en dos, tres y hasta seis años, habían sido bañados en esas aguas mágicas: los dirigentes habían falsificado sus actas de nacimiento y les habían fabricado pasaportes mentidos. Sometido al prodigioso tratamiento, uno de esos jugadores había logrado ser dos años menor que su hermano gemelo.

Entonces, el vicepresidente del club Guadalajara declaró:

—*No digo que es algo bueno, pero siempre se ha hecho.*

Y Rafael del Castillo, que era el mandamás del fútbol juvenil, preguntó:

—*¿Por qué México no puede ser mañoso, cuando otros países lo hacen como algo normal?*

Poco después del Mundial del 66, el interventor de la Asociación del Fútbol Argentino, Valentín Suárez, declaró:

—*Stanley Rous es un hombre incorrecto. Organizó el Mundial para que lo ganara Inglaterra. Yo haría lo mismo si el Mundial se jugara en Argentina.*

La moral del mercado, que en nuestro tiempo es la moral del mundo, autoriza todas las llaves del éxito, aunque sean ganzúas. El fútbol profesional no tiene escrúpulos, porque integra un inescrupuloso sistema de poder que compra eficacia a cualquier precio. Y al fin y al cabo, el escrúpulo nunca fue gran cosa. Escrúpulo era la menor medida de peso, la más insignificante, en la Italia del Renacimiento. Cinco siglos después, Paul Steiner, jugador alemán del club Colonia, explicaba:

—*Juego por dinero y por puntos. El rival quiere sacarme el dinero y los puntos. Por eso debo luchar contra él por todos los medios.*

Y el jugador holandés Ronald Koeman justificaba así el patadón de su compatriota Gillhaus, que despanzurró al francés Tigana, en 1988:

—*Fue un acto de pura clase. Tigana era el más peligroso y había que neutralizarlo a toda costa.*

El fin justifica los medios, y cualquier cochinada está bien, aunque conviene ejecutarla con disimulo. Basile Boli, del Olympique de Marsella, un defensa acusado de maltratar tobillos ajenos, contó su bautismo de fuego: en 1983, desparramó de un cabezazo

a Roger Milla, que lo tenía loco a codazos. Y Boli desarrolló la experiencia:

—*He aquí la lección iniciática: Golpea antes de que te golpeen, pero golpea discretamente.*

Hay que golpear lejos de la pelota. El árbitro, como las cámaras de televisión, tiene los ojos clavados en la pelota. En el Mundial del 70, Pelé sufrió la marca del italiano Bertini. Después lo elogió así:

—*Bertini era un artista cometiendo faltas sin que lo vieran. Me hundía el puño en las costillas o en el estómago, me pateaba el tobillo... Un artista.*

Entre los periodistas argentinos son frecuentes los aplausos a las trampas que atribuyen a Carlos Bilardo, porque ha sabido hacerlas con habilidad y con buenos resultados. Según dicen, cuando Bilardo era jugador pinchaba a sus rivales con una aguja y ponía cara de yo no fui. Y cuando era director técnico de la selección argentina, logró enviar una cantimplora de agua con vomitivos a Branco, un sediento jugador brasileño, durante el partido más difícil del Mundial del 90.

Los periodistas uruguayos suelen llamar *juego de pierna fuerte* al crimen alevoso, y más de uno ha celebrado la eficacia de la *patada de ablande* para intimidar a los rivales en los partidos internacionales. La tal patada debe ser propinada en los primeros minutos de juego. Después, se corre el riesgo de expulsión. En el fútbol uruguayo, la violencia ha sido hija de la decadencia. Antes, la *garra charrúa* era el nombre de la valentía, y no, de las patadas.

En el Mundial del 50, sin ir más lejos, cuando la célebre final de Maracaná, Brasil cometió el doble de faltas que Uruguay. En el Mundial del 90, cuando el técnico Óscar Tabárez logró que la selección uruguaya recuperara el juego limpio, algunos comentaristas locales tuvieron el placer de confirmar que eso no daba buenos resultados. Y son numerosos los hinchas, y también los dirigentes, que prefieren ganar sin honor que perder noblemente.

El Pepe Sasía, delantero uruguayo, contaba:

—*¿Tirar tierra a los ojos del arquero? A los dirigentes les parece mal, cuando se nota.*

Los hinchas argentinos hablaron maravillas del gol que Maradona cometió con la mano en el Mundial del 86, *porque el árbitro no lo vio*. En las eliminatorias del Mundial del 90, el arquero de la selección de Chile, Roberto Rojas, simuló una herida, cortándose la frente, y lo pescaron. Los hinchas chilenos, que lo adoraban y lo llamaban *el Cóndor*, lo convirtieron súbitamente en villano de película porque *el truco le salió mal*.

En el fútbol profesional, como en todo lo demás, no importa el delito si la coartada es buena. *Cultura* significa cultivo. ¿Qué cultiva en nosotros la cultura del poder? ¿Cuáles pueden ser las tristes cosechas de un poder que otorga impunidad a los crímenes de los militares y los saqueos de los políticos, y los convierte en hazañas?

El escritor Albert Camus, que había sido arquero en Argelia, no se refería al fútbol profesional cuando decía:

—*Todo lo que sé de moral se lo debo al fútbol.*

# Indigestión

En 1989, en Buenos Aires, terminó empatado un partido entre Argentinos Juniors y Racing. El reglamento obligó a definirlo por penales.

El público asistió de pie, comiéndose las uñas, a los primeros tiros desde los doce pasos. La hinchada gritó el gol de Racing. En seguida vino el gol de Argentinos Juniors y lo gritó la hinchada de la otra tribuna. Hubo ovación cuando el arquero de Racing se tiró contra un palo y desvió la pelota. Otra ovación felicitó al arquero de Argentinos, que no se dejó seducir por las muecas y esperó la pelota en el centro del arco.

Cuando se ejecutó el décimo penal, hubo uno que otro aplauso. Unos cuantos hinchas abandonaron el estadio después del vigésimo gol. Cuando lanzaron el penal número treinta, la poca gente que quedaba le dedicó algún bostezo. Los pelotazos iban y venían, y el empate continuaba.

Al cabo de cuarenta y cuatro penales, terminó el partido. Fue el récord mundial de penales. En el estadio ya no había nadie para celebrarlo, y ni se supo quién había ganado.

# El Mundial del 90

Nelson Mandela estaba en libertad, después de haber pasado veintisiete años en la cárcel, por negro y por digno, en África del Sur. En Colombia caía asesinado Bernardo Jaramillo, candidato presidencial de la izquierda, y la policía acribillaba desde un helicóptero al narcotraficante Rodríguez Gacha, uno de los diez hombres más ricos del mundo. Chile recuperaba su malherida democracia, pero el general Pinochet, que seguía mandando a los militares, vigilaba a los políticos y les marcaba el paso. Fujimori, montado en un tractor, derrotaba a Vargas Llosa en las elecciones peruanas. En Nicaragua, los sandinistas perdían las elecciones, vencidos por el cansancio de diez años de guerra contra los invasores armados y entrenados por los Estados Unidos, mientras los Estados Unidos iniciaban una nueva ocupación de Panamá, después de haber culminado exitosamente su vigésimo primera invasión de este país.

En Polonia, el sindicalista Walesa, hombre de misa diaria, pasaba de la cárcel al gobierno. En Moscú, un gentío hacía cola a las puertas de *McDonald's*. El muro de Berlín se vendía en pedacitos, empezaba la unificación de las dos Alemanias y la desintegración de Yugoslavia. Una insurrección popular derribaba al régimen de Ceaucescu, en Rumania, y fusilaba al veterano dictador, que se hacía llamar *el Danubio Azul del Socialismo*. En todo el este de Europa, los viejos burócratas se convertían en nuevos empresarios y las grúas arrastraban las estatuas de Marx, que no tenía manera de decir: «Soy inocente». Fuentes bien informadas de Miami anunciaban la inminente caída de Fidel Castro, que iba a desplomarse en cuestión de horas. Allá en el cielo, máquinas terrestres visitaban a Venus y le espiaban los secretos, mientras aquí en la tierra se inauguraba, en Italia, el decimocuarto Campeonato Mundial de Fútbol.

Participaron catorce equipos europeos, seis americanos, Egipto, Corea del Sur, los Emiratos Árabes Unidos y Camerún, que asombró al mundo derrotando a la selección argentina en el par-

tido inaugural y jugando de igual a igual contra Inglaterra. Milla, un veterano de cuarenta años, era el primer tambor de esta orquesta africana.

Maradona, con un pie hinchado como un zapallo, se las arreglaba mal que bien para conducir a los suyos. El tango sonaba a duras penas. Después de perder contra Camerún, Argentina empató con Rumania y con Italia y estuvo a punto de perder con Brasil. Los jugadores brasileños dominaron todo el partido, hasta que Maradona, jugando con una sola pierna, se sacó tres hombres de encima en la mitad de la cancha y habilitó a Caniggia, que se fue al gol como una exhalación.

Argentina enfrentó a Alemania en la final, igual que en el Mundial anterior, pero esta vez Alemania venció por 1 a 0 gracias a un penal invisible y a la sabia dirección técnica de Beckenbauer.

Italia ocupó el tercer lugar. Inglaterra, el cuarto. El italiano Schillaci encabezó la tabla de goleadores, con seis tantos, seguido por Skuharavy, de Checoslovaquia, con cinco. Este campeonato, fútbol aburrido, sin audacia, sin belleza, registró el promedio de goles más bajo de la historia de los Mundiales.

# Gol de Rincón

Fue en el Mundial del 90. Colombia había jugado mejor que Alemania, pero iba perdiendo 1 a 0 y ya estaban en el último minuto.

La pelota llegó al centro de la cancha. Ella iba en busca de una corona de electrizada pelambre: Valderrama recibió la pelota de espaldas, giró, se desprendió de tres alemanes que le sobraban y la pasó a Rincón, y Rincón a Valderrama, Valderrama a Rincón, tuya y mía, mía y tuya, tocando y tocando, hasta que Rincón pegó unas zancadas de jirafa y quedó solo ante Illgner, el guardameta alemán. Illgner tapaba el arco. Entonces Rincón no pateó la pelota: la acarició. Y ella se deslizó, suavecita, por entre las piernas del arquero, y fue gol.

# Hugo Sánchez

Corría el año 92, Yugoslavia había estallado en pedazos, la guerra enseñaba a los hermanos a odiarse entre sí y a matar y a violar sin remordimientos.

Dos periodistas mexicanos, Epi Ibarra y Hernán Vera, querían llegar a Sarajevo. Bombardeada, sitiada, Sarajevo era una ciudad prohibida para la prensa internacional, y a más de un periodista la audacia le había costado la vida.

En los alrededores, reinaba el caos. Todos contra todos: nadie sabía quién era quién, ni contra quién peleaba, en aquella confusión de trincheras, casas humeantes y muertos sin sepultura. Mapa en mano, Epi y Hernán se las arreglaron para atravesar los estampidos de los cañonazos y las ráfagas de las ametralladoras, hasta que de buenas a primeras chocaron con una cantidad de soldados, a orillas del río Drina. Los soldados los arrojaron al suelo de un empujón y les apuntaron al pecho. El oficial bramaba quién

sabe qué, mientras ellos balbuceaban quién sabe qué, pero cuando el oficial se pasó el dedo por el pescuezo y las armas hicieron clic, los periodistas entendieron perfectamente bien que los estaban confundiendo con espías y que ni modo, no queda más que despedirse y rezar por si hay Cielo.

Entonces a los condenados se les ocurrió mostrar sus pasaportes. Y el rostro del oficial se iluminó:

—*¡México!* —gritó—. *¡Hugo Sánchez!*

Y dejó caer el arma y los abrazó.

Hugo Sánchez, la llave mexicana que abrió aquellos caminos imposibles, había conquistado la fama universal gracias a la televisión, que mostró el arte de sus goles y las volteretas con que él los celebraba. En la temporada del 89/90, vistiendo la camiseta del Real Madrid, perforó las vallas treinta y ocho veces. Él fue el mayor goleador extranjero de toda la historia del fútbol español.

# La cigarra y la hormiga

En 1992, la cigarra cantora venció 2 a 0 a la hormiga trabajadora. En la final de la Copa europea de naciones, se midieron Alemania y Dinamarca. Los jugadores alemanes venían del ayuno, la abstinencia y el trabajo. Los daneses venían de la cerveza, las mujeres y las siestas al sol. Dinamarca había perdido la clasificación y sus jugadores estaban de vacaciones, cuando fueron llamados, de apuro, para que ocuparan el lugar de Yugoslavia, ausente por guerra, en el campeonato. No tuvieron tiempo, ni ganas, de entrenarse, y el equipo no pudo contar con su más brillante figura, Michael Laudrup, jugador patialegre y certero, que acababa de ganar el torneo europeo de clubes con la camiseta del Barcelona. La selección alemana, en cambio, llegó a la final con Matthaus, Klinsmann y todas sus estrellas. Alemania, que *debía* ganar, fue derrotada por Dinamarca, que no estaba obligada a nada y jugó como si la cancha fuera una continuación de la playa.

# Gullit

En 1993, la marea del racismo estaba subiendo. El olor a peste ya se sentía, como una pesadilla que vuelve, en toda Europa, mientras se sucedían algunos crímenes y se promulgaban leyes contra los inmigrantes de los países que habían sido colonias. Muchos jóvenes blancos no encontraban trabajo y la gente de piel oscura empezaba a pagar el pato.

En ese año, un equipo de Francia ganó, por primera vez, la copa europea. El gol de la victoria fue obra de Basile Boli, un africano de la Costa de Marfil, que cabeceó un tiro de esquina lanzado por otro africano, Abedi Pelé, nacido en Ghana. Al mismo tiempo, ni los más ciegos militantes de la supremacía blanca podían negar que los mejores jugadores de Holanda seguían siendo los veteranos Ruud Gullit y Frank Rijkaard, hijos de hombres de piel oscura venidos de Surinam, y que el africano Eusebio había sido el mejor de Portugal.

Ruud Gullit, llamado el *Tulipán Negro*, ha sido siempre un clamoroso enemigo del racismo. Entre partido y partido ha cantado, guitarra en mano, en varios conciertos organizados contra el *apartheid* en África del sur, y en 1987, cuando fue elegido el jugador más destacado de Europa, dedicó su *balón de oro* a Nelson Mandela, que llevaba muchos años encerrado en la cárcel por el delito de creer que los negros son personas.

A Gullit le operaron tres veces una rodilla. Las tres veces, los comentaristas lo dieron por liquidado. Pero resucitó, a puras ganas:

—*Yo, sin jugar, soy como un recién nacido sin chupete.*

Sus veloces y goleadoras piernas, y su físico imponente coronado por una melena de rulerío *rasta*, le han ganado el fervor popular en los equipos más poderosos de Holanda y de Italia. En cambio, Gullit nunca se ha llevado bien con los directores técnicos ni con los dirigentes, por su costumbre de desobedecer y por su porfiada manía de denunciar a la cultura del dinero, que está convirtiendo al fútbol en un asunto más de la bolsa de valores.

# El parricidio

Al fin del invierno de 1993, la selección colombiana jugó en Buenos Aires un partido de clasificación para el Mundial. Cuando los jugadores colombianos entraron a la cancha, fueron silbados, abucheados, insultados. Cuando salieron, el público los despidió de pie, con una ovación que se escucha todavía.

Argentina perdió 5 a 0. Como de costumbre, el arquero fue quien cargó la cruz de la derrota, pero la victoria ajena fue celebrada como nunca. Por unanimidad, los argentinos agradecieron el prodigioso juego colombiano, goce de las piernas, placer de los ojos: una danza que iba creando, con coreografía cambiante, su propia música. El señorío del *Pibe* Valderrama, un mulato plebeyo, daba envidia a los príncipes, y los jugadores negros eran los reyes de la fiesta: a Perea no había quién lo pasara, al *Tren* Valencia no había quién lo parara, no había quién pudiera con los tentáculos del *Pulpo* Asprilla y no había quién atajara los balazos de Rincón. Por el color de la piel y el color de la alegría, aquél parecía un cuadro del Brasil de los mejores tiempos.

Los colombianos llamaron *parricidio* a esa goleada. Medio siglo antes, habían sido argentinos los padres del fútbol en Bogotá, Medellín o Cali. Pero Pedernera, Di Stéfano, Rossi, Rial, Pontoni y Moreno habían engendrado un hijo más bien brasileño, por esas cosas de la vida.

## Gol de Zico

Fue en 1993. En Tokio, el club Kashima disputaba la Copa del Emperador contra el Tohoku Sendai.

El brasileño Zico, astro del Kashima, hizo el gol de la victoria, que fue el más lindo de los goles de su vida. La pelota llegó, en centro cruzado, desde la derecha. Zico, que estaba en la media luna del área, entró con todo. En el envión, se pasó: cuando advirtió que la pelota le quedaba atrás, dio una vuelta de carnero en el aire y en pleno vuelo, de cara al suelo, la pateó de taco. Fue una chilena, pero al revés.

—*Cuéntenme ese gol* —pedían los ciegos.

# Un deporte de evasión

Cuando España padecía todavía la dictadura de Franco, el presidente del Real Madrid, Santiago Bernabéu, definía así la misión del club:

—*Estamos prestando un servicio a la nación. Lo que queremos es tener contenta a la gente.*

Y su colega del Atlético de Madrid, Vicente Calderón, elogiaba también las virtudes de este valium colectivo:

—*El fútbol es bueno para que la gente no piense en otras cosas más peligrosas.*

En 1993 y 1994, varios dirigentes del fútbol mundial fueron denunciados, y hasta procesados, por trapisondas diversas. Entonces se puso en evidencia, una vez más, que el fútbol no sólo puede ser un deporte de evasión de las tensiones sociales, sino que también sirve para la evasión de capitales y de impuestos.

Han quedado muy atrás los tiempos en que los clubes más importantes del mundo pertenecían a la hinchada y a los jugadores que la integraban. En épocas ya remotas, el presidente del club andaba con un tarro y una brocha, pintando con cal las líneas del campo de juego, y el más lujoso derroche de los dirigentes consistía en alguna comilona de celebración en la cantina del barrio. Hoy en día, esos clubes son sociedades anónimas que manejan fortunas contratando jugadores y vendiendo espectáculos, y

están acostumbrados a trampear al Estado, a engañar al público y a violar el derecho laboral y todos los derechos. Están, también, acostumbrados a la impunidad. No existe corporación multinacional más impune que la FIFA, que los agrupa a todos. La FIFA tiene su propia justicia. Como en *Alicia en el país de las maravillas*, esa justicia de la injusticia dicta sentencia primero y hace el proceso después, que ya habrá tiempo.

El fútbol profesional funciona al margen del derecho, en un territorio sagrado donde dicta sus propias leyes y desconoce las leyes de todos los demás. Pero, ¿por qué el derecho funciona al margen del fútbol? Es raro que los jueces se atrevan a sacar tarjeta roja a los dirigentes de los grandes clubes, aunque bien saben ellos que estos malabaristas de la contabilidad meten prohibidos goles al erario público y dejan a las reglas del juego limpio despatarradas por los suelos. Simplemente ocurre que los jueces también saben que arriesgan una silbatina feroz si aplican mano dura. El fútbol profesional es intocable, porque es popular. «Los dirigentes roban para nosotros», dicen, y creen, los hinchas.

Los escándalos recientes han demostrado que hay algunos jueces dispuestos a desafiar esta tradición de impunidad y han servido, al menos, para revelar a la luz pública las acrobacias financieras y los juegos de máscaras que con toda normalidad practican algunos de los clubes más ricos del mundo.

El presidente del club italiano Perugia, que en 1993 fue acusado de comprar árbitros, contraatacó denunciando:

—*El ochenta por ciento del fútbol está corrupto.*

Los expertos coincidieron en que se había quedado corto. Todos los clubes importantes de Italia, del norte al sur, desde el Milan y el Torino hasta el Nápoles y el Cagliari, están, quien más, quien menos, metidos en el fraude. Se ha comprobado que sus balances mentirosos esconden deudas varias veces superiores al capital, que los dirigentes manejan cajas negras, sociedades fantasmas y cuentas secretas en Suiza, que no pagan los impuestos ni la seguridad social pero en cambio pagan gordas cuentas por servicios que nadie prestó, y que los jugadores suelen recibir mucho menos dinero que el dinero que hacia ellos sale de caja y se desvía en el camino.

Trucos idénticos son habituales entre los clubes más notorios de Francia. Algunos dirigentes del club Bordeaux han sido denunciados por usurpación de fondos en provecho personal, y la cúpula del Olympique de Marsella fue sometida a proceso por el soborno de rivales. El Olympique, el club más poderoso de Francia, fue rebajado a segunda división y perdió sus títulos de campeón de Francia y campeón de Europa, cuando se demostró que en 1993 sus dirigentes habían sobornado, en vísperas de un partido, a algunos jugadores del club Valenciennes. El episodio acabó con la carrera deportiva y las ambiciones políticas del empresario Bernard Tapie, que terminó en bancarrota y fue condenado a un año de prisión.

Al mismo tiempo, el club Legia, campeón de Polonia, perdió su título por haber *arreglado* dos partidos, y el Tottenham Hotspur, de Inglaterra, denunció que le habían exigido pagar una comisión clandestina por la transferencia de un jugador del Nottingham Forest. El club inglés Luton, mientras tanto, estaba siendo investigado por evasión de impuestos.

Y simultáneamente estallaron varios escándalos de la delincuencia del fútbol en Brasil. El presidente del club Botafogo denunció que los responsables del fútbol carioca habían manipulado siete partidos en 1993, y que así habían ganado mucho dinero con las apuestas. En San Pablo, otras denuncias revelaron que el mandamás de la federación de fútbol local se había hecho rico de la noche a la mañana, y la investigación de ciertas cuentas fantasmas permitió saber que su súbita fortuna no provenía de una vida consagrada al noble apostolado del deporte. Y por si todo esto fuera poco, el presidente de la Confederación Brasileña de Fútbol, Ricardo Teixeira, fue denunciado ante los tribunales por Pelé, que lo acusó de enriquecimiento ilícito en la venta de los derechos de trasmisión de los partidos por televisión. En respuesta a la demanda de Pelé, Havelange colocó a Teixeira, que es su yerno, en la cúpula de la FIFA.

Casi dos mil años antes de todo esto, el patriarca bíblico que escribió los *Hechos de los apóstoles*, contó la historia de dos de los primeros cristianos, Ananías y su mujer, Safira. Ananías y Safira habían vendido un campo y habían mentido el precio. Cuando Dios se enteró del fraude, los fulminó en el acto.

Si Dios tuviera tiempo para ocuparse del fútbol, ¿cuántos dirigentes quedarían vivos?

# El Mundial del 94

S e alzaban en armas los indios mayas en Chiapas, el México profundo estallaba en la cara del México oficial y el subcomandante Marcos asombraba al mundo con sus palabras de humor y de amor.

Moría Onetti, el novelista de las sombras del alma. En una insegura pista europea se desnucaba el brasileño Ayrton Senna, campeón mundial de automovilismo. Serbios, croatas y musulmanes se mataban entre sí en la despedazada Yugoslavia. En Ruanda ocurría algo parecido, pero la televisión no hablaba de pueblos sino de tribus, y mostraba la violencia como si fuera cosa de negros.

Los herederos de Torrijos ganaban las elecciones en Panamá, cuatro años después de la sangrienta invasión y la inútil ocupación de las tropas norteamericanas. Las tropas norteamericanas se retiraban de Somalia, donde habían combatido contra el hambre a balazos. África del Sur votaba por Mandela. Los comunistas, rebautizados socialistas, triunfaban en las elecciones parlamentarias

de Lituania, Ucrania, Polonia y Hungría, que habían descubierto que el capitalismo también tenía sus inconvenientes, pero la editorial Progreso, de Moscú, que antes difundía las obras de Marx y de Lenin, pasaba a publicar las *Selecciones del Reader's Digest.* Fuentes bien informadas de Miami anunciaban la inminente caída de Fidel Castro, que iba a desplomarse en cuestión de horas.

Los escándalos de la corrupción demolían a los partidos políticos italianos y el poder vacío era conquistado por Berlusconi, el nuevo rico que ejercía la dictadura de la televisión en nombre de la diversidad democrática. Berlusconi culminaba su exitosa campaña con una consigna robada a los estadios de fútbol, mientras el décimo quinto Campeonato Mundial de Fútbol se inauguraba en los Estados Unidos, patria del béisbol.

La prensa norteamericana concedió escasa importancia al asunto, y lo comentó más o menos así: «Aquí el fútbol es el deporte del futuro, y siempre lo será». Pero los estadios estuvieron repletos, a pesar del sol que derretía las piedras. Para complacer a la televisión europea, los partidos más importantes se jugaron al mediodía, como había ocurrido en el Mundial del 86 en México.

Participaron trece selecciones europeas, seis americanas, tres africanas, Corea del Sur y Arabia Saudita. Se otorgaron tres puntos por victoria, en lugar de dos, para desalentar los empates; y para desalentar la violencia fueron mucho más rigurosos los jueces, que prodigaron amonestaciones y expulsiones todo a lo largo

 **223**

del campeonato. Por primera vez los jueces aparecieron vestidos de colores y por primera vez se autorizó el ingreso de un tercer suplente en cada equipo, para sustituir al guardameta lesionado.

Maradona jugó su último Mundial, y jugando fue una fiesta hasta que cayó derrotado en el laboratorio que le controló la orina después de su segundo partido. Sin él, y sin el veloz Caniggia, Argentina se vino abajo. Nigeria ofreció el fútbol más divertido de la Copa. Bulgaria, el equipo de Stoichkov, ganó el cuarto lugar tras dejar fuera de combate a la temible Alemania. El tercer lugar fue para Suecia. Italia jugó la final contra Brasil. Fue un partido aburrido, pero entre bostezo y bostezo, Romario y Baggio dieron algunas lecciones de buen fútbol. El alargue terminó sin goles. En la definición por penales, Brasil se impuso 3 a 2 y se consagró campeón del mundo. Una historia deslumbrante: Brasil ha sido el único país que participó en todas las copas mundiales, el único que salió campeón cuatro veces, el que ganó más partidos y el que más goles hizo.

En la Copa del 94, encabezaron la tabla de goleadores Stoichkov, de Bulgaria, y Salenko, de Rusia, con seis tantos, seguidos por el brasileño Romario, el italiano Baggio, el sueco Andersson y el alemán Klinsmann, todos con cinco.

# Romario

Venido desde quién sabe qué región del aire, el tigre aparece, pega el zarpazo y se esfuma. El arquero, atrapado en su jaula, no tiene tiempo ni de pestañear. En un fogonazo, Romario asesta sus goles de media vuelta, de chilena, de volea, de chanfle, de taco, de punta o de perfil.

Romario nació en la miseria, en la favela de Jacarezinho, pero desde niño ensayaba la firma para los muchos autógrafos que iba a firmar en la vida. Trepó a la fama sin pagar los impuestos de la mentira obligatoria: este hombre muy pobre se dio siempre el lujo de hacer lo que quería, disfrutón de la noche, parrandero, y siempre dijo lo que pensaba sin pensar lo que decía.

Ahora tiene una colección de Mercedes Benz y doscientos cincuenta pares de zapatos, pero sus mejores amigos siguen siendo aquellos impresentables buscavidas que en la infancia le enseñaron el secreto del zarpazo.

# Baggio

En estos últimos años, nadie ha ofrecido a los italianos tan buen fútbol ni tanto tema de conversación. El fútbol de Roberto Baggio tiene misterio: las piernas piensan por su cuenta, el pie dispara solo, los ojos ven los goles antes de que ocurran.

Todo Baggio es una gran cola de caballo que avanza espantando gente, en elegante vaivén. Los rivales lo acosan, lo muerden, golpean duro. Baggio lleva mensajes budistas escritos bajo su brazalete de capitán. El Buda no evita las patadas, pero ayuda a aguantarlas. Desde su infinita serenidad, también ayuda a descubrir el silencio más allá del estrépito de las ovaciones y las silbatinas.

# Numeritos

E ntre 1930 y 1994, América ganó ocho campeonatos mundiales y Europa siete. Brasil obtuvo el trofeo cuatro veces, dos veces Argentina y dos Uruguay. Italia y Alemania fueron campeones mundiales en tres oportunidades cada uno; Inglaterra sólo ganó la Copa que se disputó en su casa.

Sin embargo, Europa tuvo el doble de posibilidades, por la presencia abrumadoramente mayoritaria de sus selecciones. A lo largo de los quince mundiales, hubo 159 oportunidades para las selecciones europeas y sólo 77 para las americanas. Además, los árbitros han sido europeos por abrumadora mayoría.

A diferencia de los campeonatos mundiales, las copas intercontinentales de clubes han brindado las mismas oportunidades a los equipos de Europa y América. En estos torneos donde compiten los clubes y no las selecciones nacionales, los equipos de las Américas se han impuesto veinte veces y los de Europa, trece.

El caso de Gran Bretaña es el más asombroso en este asunto de la desigualdad de derechos en los campeonatos mundiales de fútbol. Según me explicaron en la infancia, Dios es uno pero es tres, Padre, Hijo y Espíritu Santo. Nunca pude entenderlo. Y todavía no consigo entender, tampoco, por qué Gran Bretaña es una pero es cuatro, Inglaterra, Escocia, Irlanda del Norte y País de Gales, mientras España y Suiza, pongamos por caso, siguen siendo nada más que una a pesar de las diversas nacionalidades que las integran.

De todos modos, ya empieza a resquebrajarse el tradicional monopolio de Europa, que hasta ahora el viejo continente sólo ha compartido, a duras penas, con América. Hasta el Mundial del 94, la FIFA aceptaba uno que otro país de las demás regiones, como quien paga un impuesto al mapamundi. A partir del Mundial del 98, la cantidad de países protagonistas se elevará de 24 a 32. Europa mantendrá su injusta desproporción con América, pero no tendrá más remedio que aceptar más oportunidades de participación para los países del sur del Sahara, el África negra con su fútbol alegre y veloz en plena explosión, y también para los países árabes y para los asiáticos, hasta ahora condenados a mirar el fútbol desde afuera, como los chinos, que fueron los pioneros, y los japoneses del *Imperio del gol naciente*.

# La obligación de perder

Para la selección de Bolivia, ganar la clasificación para el Mundial del 94 fue como llegar a la luna. Este país, acorralado por la geografía y maltratado por la historia, había estado en otros mundiales, pero siempre por invitación, y había perdido todos los partidos con ningún gol a favor.

La tarea del técnico Xabier Azkargorta estaba dando frutos y no sólo en el estadio de La Paz, donde se juega sobre las nubes, sino también al nivel del mar. El fútbol boliviano demostraba que la altura no era su único gran jugador, y que bien podía quitarse de encima el complejo que lo obligaba a perder los partidos antes de que comenzaran. En las eliminatorias, Bolivia se lució. Melgar y Baldivieso, en el medio campo, y adelante Sánchez y sobre todo Etcheverry, llamado *el Diablo*, fueron aplaudidos por públicos diversos y exigentes.

Quiso la suerte, la mala suerte, que a Bolivia le tocara inaugurar el Mundial enfrentando a la todopoderosa Alemania. Pulgarcito contra Rambo. Pero ocurrió lo que nadie hubiera podido prever: en lugar de encogerse, asustada, en el área chica, Bolivia se lanzó al ataque. No jugó de igual a igual, no: jugó de mayor a menor. Alemania, desconcertada, corría, y Bolivia gozaba. Y así fue hasta que, a cierta altura del partido, el astro boliviano Marco Antonio Etcheverry entró en la cancha y un minuto después lanzó una absurda patada a Matthaus y se hizo echar. Y entonces Bolivia se desmoronó, arrepentida de haber pecado contra el destino que la obliga a perder, como si obedeciera a quién sabe qué secreta maldición venida del fondo de los siglos.

 **229**

# El pecado de perder

El fútbol eleva a sus divinidades y las expone a la venganza de los creyentes. Con la pelota en el pie y los colores patrios en el pecho, el jugador que encarna a la nación marcha a conquistar glorias en lejanos campos de batalla. Al regreso, el guerrero vencido es un ángel caído. En 1958, en el aeropuerto de Ezeiza, la gente arrojó monedas a los jugadores de la selección argentina, que habían hecho mal papel en el Mundial de Suecia. En el Mundial del 82, Caszely erró un penal y en Chile le hicieron la vida imposible. Diez años más tarde, algunos jugadores de Etiopía pidieron asilo a las Naciones Unidas, después de perder 6 a 1 en Egipto.

Somos porque ganamos. Si perdemos, dejamos de ser. La camiseta de la selección nacional se ha convertido en el más indudable símbolo de identidad colectiva, y no sólo en los países pobres o pequeños que dependen del fútbol para figurar en el mapa. Cuando Inglaterra quedó eliminada en los preliminares del Mundial del 94, el *Daily Mirror*, de Londres, tituló en primera página, en cuerpo catástrofe: EL FIN DEL MUNDO.

En el fútbol, como en todo lo demás, está prohibido perder. En este fin de siglo, el fracaso es el único pecado que no tiene redención. Durante el Mundial del 94, un puñado de fanáticos quemó la casa de Joseph Bell, el derrotado guardameta de Camerún, y el jugador colombiano Andrés Escobar cayó acribillado a balazos en Medellín. Escobar había tenido la mala suerte de meter un gol en contra, había cometido un imperdonable acto de traición a la patria.

¿Culpa del fútbol, o culpa de la cultura del exitismo y de todo el sistema de poder que el fútbol profesional refleja e integra? Como deporte, el fútbol no está condenado a generar violencia, aunque a veces la violencia lo use de válvula de desahogo. No es casual que el asesinato de Escobar haya ocurrido en uno de los países más violentos del planeta. La violencia no está en los genes del pueblo colombiano, pueblo celebrador de la vida, loco de

alegrías musiqueras y futboleras, que la padece como enfermedad pero no la lleva como marca imborrable en la frente. El sistema de poder, en cambio, sí es un factor de violencia: como en toda América Latina, sus injusticias y humillaciones envenenan el alma de la gente, su escala de valores recompensa a quien no tiene escrúpulos y su tradicional impunidad estimula al crimen y ayuda a perpetuarlo como costumbre nacional.

Unos meses antes de que comenzara el Mundial del 94, se difundió el informe anual de Amnistía Internacional. Según Amnistía, en Colombia «centenares de personas fueron ejecutadas extraoficialmente por las fuerzas armadas y sus aliados paramilitares en 1993. La mayoría de las víctimas de las ejecuciones extrajudiciales eran personas sin relaciones políticas conocidas».

El informe de Amnistía Internacional también destapó la responsabilidad de la policía colombiana en las operaciones de *limpieza social*, eufemismo que encubre el sistemático exterminio de homosexuales, prostitutas, drogadictos, mendigos, enfermos mentales y niños de la calle. La sociedad los llama *desechables*, que es como decir: basura humana que merece la muerte.

En este mundo que castiga el fracaso, ellos son los perdedores de siempre.

# Maradona

Jugó, venció, meó, perdió. El análisis delató efedrina y Maradona acabó de mala manera su Mundial del 94. La efedrina, que no se considera droga estimulante en el deporte profesional de los Estados Unidos y de muchos otros países, está prohibida en las competencias internacionales.

Hubo estupor y escándalo. Los truenos de la condenación moral dejaron sordo al mundo entero, pero mal que bien se hicieron oír algunas voces de apoyo al ídolo caído. Y no sólo en su dolorida y atónita Argentina, sino en lugares tan lejanos como Bangladesh, donde una manifestación numerosa rugió en las calles repudiando a la FIFA y exigiendo el retorno del expulsado. Al fin y al cabo, juzgarlo era fácil, y era fácil condenarlo, pero no resultaba tan fácil olvidar que Maradona venía cometiendo desde hacía años el pecado de ser el mejor, el delito de denunciar a viva voz las cosas que el poder manda callar y el crimen de jugar con la zurda, lo cual, según el *Pequeño Larousse Ilustrado*, significa «con la izquierda» y también significa «al contrario de como se debe hacer».

Diego Armando Maradona nunca había usado estimulantes, en vísperas de los partidos, para multiplicarse el cuerpo. Es verdad que había estado metido en la cocaína, pero se dopaba en las fiestas tristes, para olvidar o ser olvidado, cuando ya estaba acorralado por la gloria y no podía vivir sin la fama que no lo dejaba vivir. Jugaba mejor que nadie a pesar de la cocaína, y no por ella.

Él estaba agobiado por el peso de su propio personaje. Tenía problemas en la columna vertebral, desde el lejano día en que la multitud había gritado su nombre por primera vez. Maradona llevaba una carga llamada Maradona, que le hacía crujir la espalda. El cuerpo como metáfora: le dolían las piernas, no podía dormir sin pastillas. No había demorado en darse cuenta de que era insoportable la responsabilidad de trabajar de dios en los estadios, pero desde el principio supo que era imposible dejar de hacerlo. «Necesito que me necesiten», confesó, cuando ya llevaba muchos años con el halo sobre la cabeza, sometido a la tiranía del rendimiento sobrehumano, empachado de cortisona y analgésicos y ovaciones, acosado por las exigencias de sus devotos y por el odio de sus ofendidos.

El placer de derribar ídolos es directamente proporcional a la necesidad de tenerlos. En España, cuando Goicoechea le pegó de atrás y sin la pelota y lo dejó fuera de las canchas por varios meses, no faltaron fanáticos que llevaron en andas al culpable de este homicidio premeditado, y en todo el mundo sobraron gentes dispuestas a celebrar la caída del arrogante *sudaca* intruso en las cumbres, el nuevo rico ese que se había fugado del hambre y se daba el lujo de la insolencia y la fanfarronería.

Después, en Nápoles, Maradona fue santa Maradonna y san Gennaro se convirtió en san Gennarmando. En las calles se vendían imágenes de la divinidad de pantalón corto, iluminada por la

corona de la Virgen o envuelta en el manto sagrado del santo que sangra cada seis meses, y también se vendían ataúdes de los clubes del norte de Italia y botellitas con lágrimas de Silvio Berlusconi. Los niños y los perros lucían pelucas de Maradona. Había una pelota bajo el pie de la estatua del Dante y el tritón de la fuente vestía la camiseta azul del club Nápoles. Hacía más de medio siglo que el equipo de la ciudad no ganaba un campeonato, ciudad condenada a las furias del Vesubio y a la derrota eterna en los campos de fútbol, y gracias a Maradona el sur oscuro había logrado, por fin, humillar al norte blanco que lo despreciaba. Copa tras copa, en los estadios italianos y europeos, el club Nápoles vencía, y cada gol era una profanación del orden establecido y una revancha contra la historia. En Milán odiaban al culpable de esta afrenta de los pobres salidos de su lugar, lo llamaban *jamón con rulos*. Y no sólo en Milán: en el Mundial del 90, la mayoría del público castigaba a Maradona con furiosas silbatinas cada vez que tocaba la pelota, y la derrota argentina ante Alemania fue celebrada como una victoria italiana.

Cuando Maradona dijo que quería irse de Nápoles, hubo quienes le echaron por la ventana muñecos de cera atravesados de alfileres. Prisionero de la ciudad que lo adoraba y de la *camorra*, la mafia dueña de la ciudad, él ya estaba jugando a contracorazón, a contrapié; y entonces, estalló el escándalo de la cocaína. Maradona se convirtió súbitamente en Maracoca, un delincuente que se había hecho pasar por héroe.

Más tarde, en Buenos Aires, la televisión trasmitió el segundo ajuste de cuentas: detención en vivo y en directo, como si fuera un partido, para deleite de quienes disfrutaron el espectáculo del rey desnudo que la policía se llevaba preso.

«Es un enfermo», dijeron. Dijeron: «Está acabado». El mesías convocado para redimir la maldición histórica de los italianos del sur había sido, también, el vengador de la derrota argentina en la guerra de las Malvinas, mediante un gol tramposo y otro gol fabuloso, que dejó a los ingleses girando como trompos durante algunos años; pero a la hora de la caída, el *Pibe de Oro* no fue más que un farsante pichicatero y putañero. Maradona había traicionado a los niños y había deshonrado al deporte. Lo dieron por muerto.

Pero el cadáver se levantó de un brinco. Cumplida la penitencia de la cocaína, Maradona fue el bombero de la selección argentina, que estaba quemando sus últimas posibilidades de llegar al Mundial 94. Gracias a Maradona, llegó. Y en el Mundial, Maradona estaba siendo otra vez, como en los viejos tiempos, el mejor de todos, cuando estalló el escándalo de la efedrina.

La máquina del poder se la tenía jurada. Él le cantaba las cuarenta, eso tiene su precio, el precio se cobra al contado y sin descuentos. Y el propio Maradona regaló la justificación, por su tendencia suicida a servirse en bandeja en boca de sus muchos enemigos y esa irresponsabilidad infantil que lo empuja a precipitarse en cuanta trampa se abre en su camino.

Los mismos periodistas que lo acosan con los micrófonos, le reprochan su arrogancia y sus rabietas, y lo acusan de hablar

demasiado. No les falta razón; pero no es eso lo que no pueden perdonarle: en realidad, no les gusta lo que a veces dice. Este petiso respondón y calentón tiene la costumbre de lanzar golpes hacia arriba. En el 86 y en el 94, en México y en Estados Unidos, denunció a la omnipotente dictadura de la televisión, que estaba obligando a los jugadores a deslomarse al mediodía, achicharrándose al sol, y en mil y una ocasiones más, todo a lo largo de su accidentada carrera, Maradona ha dicho cosas que han sacudido el avispero. Él no ha sido el único jugador desobediente, pero ha sido su voz la que ha dado resonancia universal a las preguntas más insoportables: ¿Por qué no rigen en el fútbol las normas universales del derecho laboral? Si es normal que cualquier artista conozca las utilidades del *show* que ofrece, ¿por qué los jugadores no pueden conocer las cuentas secretas de la opulenta multinacional del fútbol? Havelange calla, ocupado en otros menesteres, y Joseph Blatter, burócrata de la FIFA que jamás ha pateado una pelota pero anda en limusinas de ocho metros y con chófer negro, se limita a comentar:

—*El último astro argentino fue Di Stéfano.*

Cuando Maradona fue, por fin, expulsado del Mundial del 94, las canchas de fútbol perdieron a su rebelde más clamoroso. Y también perdieron a un jugador fantástico. Maradona es incontrolable cuando habla, pero mucho más cuando juega: no hay quien pueda prever las diabluras de este inventor de sorpresas, que jamás se repite y que disfruta desconcertando a las computadoras. No es un jugador veloz, torito corto de piernas, pero lleva la pelota cosida al pie y tiene ojos en todo el cuerpo. Sus artes malabares encienden la cancha. Él puede resolver un partido disparando un tiro fulminante de espaldas al arco o sirviendo un pase imposible, a lo lejos, cuando está cercado por miles de piernas enemigas; y no hay quien lo pare cuando se lanza a gambetear rivales.

En el frígido fútbol de fin de siglo, que exige ganar y prohíbe gozar, este hombre es uno de los pocos que demuestra que la fantasía puede también ser eficaz.

# Ellos ni pinchan ni cortan

A fines de 1994, Maradona, Stoichkov, Bebeto, Francescoli, Laudrup, Zamorano, Hugo Sánchez y otros jugadores empezaron a trabajar por la creación de un sindicato internacional de futbolistas.

Hasta ahora, los protagonistas del espectáculo han brillado por su ausencia en las estructuras de poder donde se toman las decisiones. Ellos no tienen el derecho de decir ni pío en los niveles de dirección del fútbol local, ni pueden darse el lujo de ser escuchados en las cumbres de la FIFA, donde se corta el bacalao en escala mundial.

Los jugadores, ¿qué son? ¿Los monos del circo? Aunque se vistan de seda, ¿monos se quedan? Ellos jamás han sido consultados a la hora de decidir cuándo, dónde y cómo se juega. La burocracia internacional altera las reglas del fútbol a su antojo, sin que los jugadores tengan arte ni parte. Y ni siquiera pueden saber cuánto dinero producen sus piernas, y adónde van a parar esas fortunas fugitivas.

Al cabo de muchos años de huelgas y movilizaciones de los sindicatos locales, los jugadores han logrado mejorar las condiciones de sus contratos, pero los mercaderes del fútbol los siguen tratando como si fueran máquinas que se compran, se venden y se prestan:

—*Maradona es una inversión* —decía el presidente del club Nápoles.

Ahora los clubes europeos, y algunos latinoamericanos, tienen psicólogos, como las fábricas: los dirigentes no les pagan para que ayuden a las almas atribuladas, sino para que aceiten las máquinas y eleven su rendimiento. ¿Rendimiento deportivo? Rendimiento laboral: aunque en este caso la mano de obra sea más bien pie de obra, la verdad es que los jugadores profesionales brindan su fuerza de trabajo a las fábricas de espectáculos, que les exigen la máxima productividad a cambio de un salario. La cotización depende del rendimiento; y cuanto más les pagan, más les exigen. Entrenados para ganar o ganar, exprimidos hasta la última caloría, les exigen más que a los caballos de carrera. ¿Caballos de carrera? El jugador inglés Paul Gascoigne prefiere compararse con un pollo de criadero:

—*Los jugadores somos pollos de criadero: movimientos controlados, reglas rígidas, comportamientos fijos que deben ser siempre repetidos.*

A cambio, las estrellas del fútbol pueden cobrar muy bien durante el tiempo fugaz de su esplendor. Los clubes les pagan, ahora, mucho más que hace veinte o treinta años, y ellos pueden vender su nombre y su imagen a la publicidad comercial. Pero, de todos modos, las proezas de los ídolos del fútbol no son recompensadas con los tesoros de fábula que la gente imagina. La revista Forbes ha publicado la lista de las cuarenta figuras del deporte mundial que han ganado más dinero en 1994. Entre ellas, solamente aparece un jugador de fútbol, el italiano Roberto Baggio, y ocupa uno de los últimos lugares.

¿Y los miles y miles de jugadores que no son astros? ¿Los que no consiguen entrar al reino de la fama y se quedan dando vueltas en la puerta giratoria? De cada diez jugadores profesionales de Argentina, sólo tres pueden vivir del fútbol. Los salarios no son gran cosa, sobre todo si se tiene en cuenta lo poco que dura el ciclo de actividad de los jugadores: la caníbal civilización industrial los devora en un ratito.

# Una industria de exportación

Al sur del mundo, éste es el itinerario del jugador con buenas piernas y buena suerte: de su pueblo pasa a una ciudad del interior; de la ciudad del interior pasa a un club chico de la capital del país; en la capital, el club chico no tiene más remedio que venderlo a un club grande; el club grande, asfixiado por las deudas, lo vende a otro club más grande de un país más grande; y finalmente el jugador corona su carrera en Europa.

En esta cadena, los clubes, los contratistas y los intermediarios se quedan con la parte del león. Y cada eslabón confirma y perpetúa la desigualdad entre las partes, desde el desamparo de los clubes de barrio en los países pobres hasta la omnipotencia de las sociedades anónimas que en Europa manejan el negocio del fútbol al más alto nivel.

En Uruguay, por ejemplo, el fútbol es una industria de exportación, que desprecia al mercado interno. El continuo drena-

je de jugadores mediocriza al deporte profesional y desalienta al público, cada vez menos numeroso y menos fervoroso. La gente deserta de las canchas uruguayas y prefiere ver partidos internacionales por televisión. Cuando llegan los campeonatos mundiales, nuestros jugadores, diseminados a los cuatro vientos, se conocen en el avión, juegan juntos por un rato y se dicen adiós sin tiempo para que el equipo se convierta en un verdadero equipo, o sea: un solo bicho de once cabezas y veintidós piernas.

Cuando Brasil conquistó su cuarto trofeo mundial, los periodistas lo celebraron por unanimidad, aunque algunos no ocultaron su nostalgia por las maravillas de otros tiempos. El equipo de Romario y Bebeto había hecho un fútbol eficaz, pero había sido bastante avaro en poesía: un fútbol mucho menos brasileño que aquel fútbol espléndido de 1958, 1962 y 1970, cuando las selecciones de Garrincha, Didí y Pelé se habían coronado jugando en trance. Más de uno habló de crisis de talento, y varios comentaristas acusaron al estilo de juego, exitoso pero sin magia, impuesto por el director técnico: Brasil había vendido el alma al fútbol moderno. Pero hay un hecho también revelador, que casi no fue mencionado: aquellas selecciones del pasado estaban formadas por once brasileños que jugaban en Brasil. En el equipo del 94, ocho de los once jugaban en Europa. Romario, el jugador latinoamericano más cotizado, estaba recibiendo en España un sueldo mayor que la suma de los once salarios, re-

lativamente modestos, que recibían en Brasil los jugadores de 1958, entre los cuales estaban algunos de los mejores artistas de la historia del fútbol.

Las estrellas de antes estaban identificadas con un club local. Pelé era del Santos, Garrincha del Botafogo y Didí también, a pesar de alguna fugaz experiencia en el exterior, y uno no puede imaginarlos sin aquellos colores o sin el amarillo de la selección nacional. Así era en Brasil y en todas partes, por amor a la camiseta o por obra de los contratos de servidumbre feudal que hasta hace pocos años ataban al jugador de por vida. En Francia, por ejemplo, el club tenía derecho de propiedad sobre el jugador hasta los treinta y cuatro años de edad: quedaba libre cuando ya estaba acabado. Exigiendo libertad, los jugadores franceses se incorporaron a las jornadas de mayo del 68, cuando las barricadas de París estremecieron al mundo. Los encabezaba Raymond Kopa.

# El fin del partido

Rueda la pelota, el mundo rueda. Se sospecha que el sol es una pelota encendida, que durante el día trabaja y en la noche brinca allá en el cielo, mientras trabaja la luna, aunque la ciencia tiene sus dudas al respecto. En cambio, está probado, y con toda certeza, que el mundo gira en torno a la pelota que gira: la final del Mundial del 94 fue contemplada por más de dos mil millones de personas, el público más numeroso de cuantos se han reunido a lo largo de la historia de este planeta. La pasión más compartida: muchos adoradores de la pelota juegan con ella en las canchas y en los potreros, y muchísimos más integran la teleplatea que asiste, comiéndose las uñas, al espectáculo brindado por veintidós señores en calzoncillos que persiguen la pelota y pateándola le demuestran su amor.

Al fin del Mundial del 94, todos los niños que nacieron en Brasil se llamaron Romario, y el césped del estadio de Los Ángeles se vendió en pedazos, como una *pizza*, a veinte dólares la porción. ¿Una locura digna de mejor causa? ¿Un negocio vulgar y silvestre? ¿Una fábrica de trucos manejada por sus dueños? Yo soy de los que creen que el fútbol puede ser eso, pero es también mucho más que eso, como fiesta de los ojos que lo miran y como alegría

del cuerpo que lo juega. Un periodista preguntó a la teóloga alemana Dorothee Sölle:

—*¿Cómo explicaría usted a un niño lo que es la felicidad?*

—*No se lo explicaría* —respondió—. *Le tiraría una pelota para que jugara.*

El fútbol profesional hace todo lo posible por castrar esa energía de felicidad, pero ella sobrevive a pesar de todos los pesares. Y quizás por eso ocurre que el fútbol no puede dejar de ser asombroso. Como dice mi amigo Ángel Ruocco, eso es lo mejor que tiene: su porfiada capacidad de sorpresa. Por más que los tecnócratas lo programen hasta el mínimo detalle, por mucho que los poderosos lo manipulen, el fútbol continúa queriendo ser el arte de lo imprevisto. Donde menos se espera salta lo imposible, el enano propina una lección al gigante y un negro esmirriado y chueco deja bobo al atleta esculpido en Grecia.

Un vacío asombroso: la historia oficial ignora al fútbol. Los textos de historia contemporánea no lo mencionan, ni de paso, en países donde el fútbol ha sido y sigue siendo un signo primordial de identidad colectiva. Juego, luego soy: el estilo de jugar es un modo de ser, que revela el perfil propio de cada comunidad

 **243**

y afirma su derecho a la diferencia. Dime cómo juegas y te diré quién eres: hace ya muchos años que se juega al fútbol de diversas maneras, expresiones diversas de la personalidad de cada pueblo, y el rescate de esa diversidad me parece, hoy día, más necesario que nunca. Éstos son tiempos de uniformización obligatoria, en el fútbol y en todo lo demás. Nunca el mundo ha sido tan desigual en las oportunidades que ofrece y tan igualador en las costumbres que impone: en este mundo de fin de siglo, quien no muere de hambre, muere de aburrimiento.

Desde hace años, yo me he sentido desafiado por el tema, memoria y realidad del fútbol, y he tenido la intención de escribir algo que fuera digno de esta gran misa pagana, que tan distintos lenguajes es capaz de hablar y tan universales pasiones puede desatar. Escribiendo, iba a hacer con las manos lo que nunca había sido capaz de hacer con los pies: chambón irremediable, vergüenza de las canchas, yo no tenía más remedio que pedir a las palabras lo que la pelota, tan deseada, me había negado.

De ese desafío, y de esa necesidad de expiación, ha nacido este libro. Homenaje al fútbol, celebración de sus luces, denuncia de sus sombras. No sé si él es lo que ha querido ser, pero sé que ha crecido dentro de mí y ha llegado a su última página y ahora, ya nacido, se ofrece a ustedes. Y yo me quedo con esa melancolía irremediable que todos sentimos después del amor y al fin del partido.

*En Montevideo, en el verano de 1995.*

# El Mundial del 98

India y Pakistán realizaban el sueño de la bomba propia, queriendo meterse, como Perico por su casa, en el exclusivo club nuclear de las grandes potencias. Las bolsas de valores asiáticas yacían por los suelos, y en Indonesia se desplomaba la larga dictadura de Suharto, que perdía el poder pero no perdía los dieciséis mil millones de dólares que el poder le había otorgado.

El mundo se quedaba callado de Frank Sinatra, llamado *La Voz*. Once países europeos se ponían de acuerdo para lanzar a la circulación una moneda única, llamada Euro. Fuentes bien informadas de Miami anunciaban la inminente caída de Fidel Castro, que iba a desplomarse en cuestión de horas.

João Havelange abandonaba el trono del fútbol mundial y en su lugar se instalaba el delfín, Joseph Blatter, cortesano mayor del reino. En Argentina, marchaba preso el general Videla, que veinte años antes había inaugurado junto con Havelange, en plena dic-

tadura, un campeonato mundial de fútbol. En 1998, un nuevo campeonato empezaba en Francia.

A pesar de la huelga de Air France, que complicó bastante las cosas, treinta y dos selecciones acudieron al flamante estadio de Saint Denis, para disputar el último mundial del siglo: quince equipos de Europa, ocho de América, cinco del África, dos de Medio Oriente y dos del Asia.

Clamores de triunfo, susurros de velorio: al cabo de un mes de combates en estadios repletos, Francia, el locatario, y Brasil, el favorito, cruzaron espadas en la final. Brasil perdió 3 a 0. El croata Suker encabezó la tabla de goleadores del campeonato, con seis tantos, seguido por Batistuta, de Argentina, y Vieri, de Italia, ambos con cinco.

Según un estudio científico publicado, en esos días, por el *Daily Telegraph* de Londres, los hinchas segregan, durante los partidos, casi tanta testosterona como los jugadores. Pero hay que reconocer que también las empresas multinacionales transpiran la camisa como si fuera camiseta. Brasil no pudo ser pentacampeón. Adidas, sí. Desde la Copa del 54, que Adidas ganó cuando ganó Alemania, ésta fue la quinta consagración de los seleccionados que representan la marca de las tres barras. Adidas levantó, con Francia, el trofeo mundial de oro macizo; y conquistó, con Zinedine Zidane, el premio al mejor jugador. La empresa rival, Nike, tuvo que conformarse con el segundo y el cuarto lugar, que obtuvieron sus selecciones de Brasil y Holanda; y Ronaldo, la estrella de Nike, llegó enfermo al partido final. Una empresa menor, Lotto, dio el batacazo con la sorprendente Croacia, que nunca había participado en una Copa del Mundo y contra todo pronóstico entró tercera.

Después, el césped de Saint Denis fue vendido en trocitos, como había ocurrido, en el Mundial anterior, con el estadio de Los Ángeles. El autor de este libro no vende panes de césped, pero quisiera ofrecer, gratis, algunos pedacitos de fútbol que también tienen algo que ver con este campeonato.

*Estrellas*

Los jugadores de fútbol más famosos son productos que venden productos. En tiempos de Pelé, el jugador jugaba; y eso era todo, o casi todo. En tiempos de Maradona, ya en pleno auge de la televisión y de la publicidad masiva, las cosas habían cambiado. Maradona cobró mucho, y mucho pagó: cobró con las piernas, pagó con el alma. A los catorce años, Ronaldo era un mulato pobre de los arrabales de Río de Janeiro, que tenía dientes de conejo y piernas de gran goleador, pero no podía jugar en el club Flamengo porque el dinero no le daba para pagar el ómnibus. A los veintidós años, Ronaldo ya facturaba mil dólares por hora, incluyendo las horas que dormía. Abrumado por el fervor popular y la presión dineril, obligado a brillar siempre y a ganar siempre, Ronaldo sufrió una crisis nerviosa, con violentas convulsiones, horas antes de la definición del Mundial 98. Dicen que Nike lo metió a prepo en el partido contra Francia. El hecho es que jugó pero no jugó; y no pudo exhibir como debía las virtudes del nuevo modelo de botines, el R-9, que Nike estaba lanzando al mercado por medio de sus pies.

*Precios*

Al fin del siglo, los periodistas especializados hablan cada vez menos de las habilidades de los jugadores y cada vez más de sus cotizaciones. Los dirigentes, los empresarios, los contratistas y demás cortadores del bacalao ocupan un espacio creciente en las crónicas futboleras. Hasta hace algunos años, los *pases* se referían al viaje de la pelota de un jugador al otro; ahora, los *pases* aluden más bien al viaje del jugador de uno a otro club o de un país a otro. ¿Cuánto están rindiendo los famosos en relación a la inversión? Los especialistas nos bombardean con el vocabulario de los tiempos: oferta, compra, opción de compra, venta, cesión en préstamo, valorización, desvalorización. En el Mundial 98, las pantallas de la televisión universal fueron invadidas y copadas por la emoción colectiva, la más colectiva de las emociones; pero también fueron vidrieras de exhibición mercantil. Hubo alzas y caídas en la bolsa de piernas.

## Pie de obra

Joseph Blatter, nuevo monarca del fútbol, concedió una entrevista a la revista brasileña *Placar* a fines del 95, cuando todavía era el brazo derecho de Havelange. El periodista le preguntó su opinión sobre el sindicato internacional de jugadores, que se estaba formando:

—La FIFA *no habla con jugadores* —respondió Blatter—. *Los jugadores son empleados de los clubes.*

Mientras este burócrata emitía su desprecio, ocurría una buena noticia para los atletas y para todos los que creemos en la libertad de trabajo y en los derechos humanos. La Suprema Corte de Luxemburgo, la más alta autoridad jurídica de Europa, se pronunció a favor de la demanda del futbolista belga Jean-Marc Bosman y en su sentencia estableció que los jugadores europeos han de quedar libres, una vez vencidos los contratos que los ligan a los clubes.

Posteriormente, la llamada ley Pelé, promulgada en Brasil, fue también un paso importante hacia la quiebra de los lazos de servidumbre feudal: en muchos países, los jugadores integran el patrimonio de los clubes, que en la mayoría de los casos son empresas disfrazadas de «entidades sin fines de lucro».

En vísperas del Mundial 98, el director técnico Pacho Maturana opinó:

—A *los jugadores nadie los tiene en cuenta.*

Y ésa sigue siendo una verdad grande como una casa y vasta como el mundo, aunque se esté conquistando, por fin, la libertad de contratación. Cuanto más alto es el nivel profesional del fútbol, más abundan los deberes de los jugadores, siempre más numerosos que sus derechos: la aceptación de las decisiones ajenas, la disciplina militar, los entrenamientos extenuantes, los viajes incesantes, los partidos que se juegan un día sí y otro también, la obligación de rendir cada vez más...

Cuando Winston Churchill llegó, tan campante, a los noventa años de edad, un periodista le preguntó cuál era el secreto de su buena salud. Churchill respondió:

—*El deporte. Jamás lo practiqué.*


## Anuncios

En el mundo actual, todo lo que se mueve y todo lo que está quieto transmite algún mensaje comercial. Cada jugador de fútbol es una cartelera en movimiento, pero la FIFA no permite que los jugadores porten mensajes de solidaridad social. Tamaño disparate está expresamente prohibido. Julio Grondona, presidente del fútbol argentino, lo recordó y lo hizo recordar en 1997, cuando algunos jugadores quisieron expresar en la cancha su apoyo a las reivindicaciones de los maestros y profesores, que ganan sueldos de ayuno perpetuo. Poco antes, la FIFA castigó con una multa al jugador inglés Robbie Fowler, por el delito de inscribir en su camiseta una frase de adhesión a la huelga de los obreros de los puertos.


## Orígenes

Muchas de las más altas estrellas del fútbol han padecido el racismo, por ser negros o mulatos: en la cancha, han encontrado una alternativa al crimen, al que habían nacido condenados por promedio estadístico, y así han podido elevarse a la categoría de símbolos de la ilusión colectiva.

Una encuesta reciente, realizada en Brasil, muestra que dos de cada tres jugadores profesionales no han terminado la escuela primaria. Muchos de ellos, la mitad, tienen piel negra o mulata. A pesar de la invasión de la clase media, que en estos últimos años se advierte en las canchas, la realidad actual del fútbol brasileño no está lejos de los tiempos de Pelé, que en su infancia robaba maní en la estación del tren.

## Africanos

Njanka, jugador de Camerún, arrancó de atrás, dejó por el camino a toda la población de Austria y clavó el golazo más lindo del mundial 98. Pero Camerún no llegó lejos.

Cuando Nigeria derrotó, con su fútbol divertido, a la selección española, que después empató con Paraguay, el presidente de España, José María Aznar, comentó que «hasta un nigeriano o un paraguayo pueden ponerte en tu lugar». Después, cuando Nigeria se fue de Francia, un comentarista argentino sentenció:

—*Son todos albañiles, ninguno usa la cabeza para pensar.*

La FIFA, que otorga los premios *fair play*, no jugó limpio con Nigeria: le impidió ser cabeza de serie, aunque el fútbol nigeriano venía de conquistar el trofeo olímpico.

Las selecciones del África negra se fueron temprano del campeonato mundial, pero muchos jugadores africanos o nietos de africanos deslumbraron en Holanda, Francia, Brasil y otros equipos. Hubo locutores y comentaristas que los llamaban negritos, aunque nunca llamaron *blanquitos* a los demás.

## Fervores

En abril del 97, cayeron acribillados los guerrilleros que ocupaban la embajada de Japón en la ciudad de Lima. Cuando los comandos irrumpieron, y en un relámpago ejecutaron su espectacular carnicería, los guerrilleros estaban jugando al fútbol. El jefe, Néstor Cerpa Cartolini, murió vistiendo los colores del Alianza, el club de sus amores.

Pocas cosas ocurren, en América Latina, que no tengan alguna relación, directa o indirecta, con el fútbol. Fiesta compartida o compartido naufragio, el fútbol ocupa un lugar importante en la realidad latinoamericana, a veces el más importante de los lugares, aunque lo ignoren los ideólogos que aman a la humanidad pero desprecian a la gente.

## Latinoamericanos

México jugó lindo en el Mundial 98. Paraguay y Chile fueron huesos duros de roer. Colombia y Jamaica dieron lo que podían. Brasil y Argentina dieron bastante menos de lo que podían, maniatados por un sistema de juego más bien amarrete en alegría y en fantasía. En el equipo argentino, la alegría y la fantasía corrieron por cuenta de Ortega, maestro de la cabriola y el firulete, que no es tan bueno, en cambio, como actor de cine, cuando le da por revolcarse por los suelos.

## Holandeses

De los equipos latinoamericanos, la verdad sea dicha, el que más me gustó fue Holanda. La selección naranja ofreció un fútbol vistoso, de buen toque y pases cortos, gozador de la pelota. Este estilo se debió, en gran medida, al aporte de sus jugadores venidos de América del Sur: descendientes de esclavos, nacidos en Surinam.

No había negros entre los diez mil hinchas que viajaron a Francia desde Holanda, pero en la cancha sí que los había. Fue una fiesta verlos: Kluivert, Seedorf, Reiziger, Winter, Bogarde, Davids. Davids, motor del equipo, juega y crea juego: mete pierna y mete líos, porque no acepta que los futbolistas negros cobren menos que los blancos.

## Franceses

Fueron inmigrantes, o hijos de inmigrantes, casi todos los jugadores que vistieron la camiseta azul y cantaron *La Marsellesa* antes de cada partido. Thuram, elevado a la categoría de héroe nacional por dos golazos, Henry, Desailly, Viera y Karembeu venían del África, de las islas del mar Caribe o de Nueva Caledonia. Los demás provenían, en su mayoría, de familias vascas, armenias o argentinas.

Zidane, el más aclamado, es hijo de argelinos. *Zidane presidente*, escribieron manos anónimas, el día de la celebración, en el frontón del Arco de Triunfo. ¿Presidente? Hay muchos árabes, o hijos de árabes, en Francia, pero ni uno solo es diputado. Y ministro, ni hablar.

Una encuesta, publicada durante el Mundial, confirmó que cuatro de cada diez franceses tienen prejuicios racistas. El doble discurso del racismo permite ovacionar a los héroes y maldecir a los demás. El trofeo mundial fue festejado por una multitud sólo comparable a la que desbordó las calles, hace más de medio siglo, cuando llegó a su fin la ocupación alemana.

## Peces

En 1997, un aviso de televisión de Fox Sports exhortaba a mirar fútbol, prometiendo: «Sea testigo de cómo el pez grande se come al pez chico». Era una invitación al aburrimiento. Afortunadamente, en el Mundial 98, en más de una ocasión el pez chico se comió al pez grande, con espinas y todo. Eso es lo bueno que tienen, a veces, el fútbol y la vida.

# El Mundial 2002

Tiempo de caídas. Un atentado terrorista había derrumbado las torres gemelas de Nueva York. El presidente Bush lanzaba sobre Afganistán una lluvia de misiles y volteaba la dictadura de los talibanes, que su papá, y Reagan, habían incubado. La guerra contra el terrorismo bendecía el terror militar. Los tanques israelíes demolían Gaza y Cisjordania, para que los palestinos siguieran pagando la cuenta del Holocausto que no habían cometido.

El Hombre Araña abatía los récords de taquilla de la historia del cine. Fuentes bien informadas de Miami anunciaban la inminente caída de Fidel Castro, que iba a desplomarse en cuestión de horas. Se desplomaba, en cambio, la Argentina, el país modelo, y se venían abajo la moneda, el gobierno y todo lo demás. En Venezuela, un golpe de estado derribaba al presidente Chávez. Una pueblada restituía al destituido, pero la

televisión venezolana, campeona de la libertad de información, no se enteraba.

Resquebrajado por sus propios fraudes, se venía abajo el gigante Enron, que había sido el contribuyente más generoso a las campañas de Bush y de la mayoría de los senadores estadounidenses. Y en cascada caían, poco después, las acciones de otros monstruos sagrados, WorldCom, Xerox, Vivendi, Merck, por culpa de algunos errorcitos de miles de millones en la contabilidad. Se iban a pique las dos socias mayores de los negocios de la FIFA, las empresas ISL y Kirch; pero sus escandalosas quiebras no impedían que Blatter fuera confirmado, por abrumadora mayoría, en el trono del fútbol mundial. Otro vendrá que bueno te hará: la impunidad de Blatter, un mago en el arte de esconder números y comprar votos, había convertido a Havelange en una Hermanita de la Caridad.

Y también cayó Bertie Felstead. Lo mató la muerte. Felstead, el hombre más viejo de Inglaterra, era el único sobreviviente de un célebre partido de fútbol, que los soldados británicos y alemanes disputaron en plena guerra, en la Navidad de 1915. El campo de batalla se convirtió por un rato en campo de juego, al mágico influjo de una pelota venida no se sabe de dónde, hasta que los oficiales, a los gritos, recordaron a los soldados que estaban obligados a odiarse.

\*\*\*

Treinta y dos selecciones acudieron a Japón y Corea para disputar el decimoséptimo campeonato mundial de fútbol, en los estadios nuevos y deslumbrantes de veinte ciudades.

El primer Mundial del nuevo milenio se jugó por primera vez en dos países y por primera vez en Asia. Niños asiáticos, de Pakistán, cosieron para Adidas la pelota de alta tecnología que se echó a rodar, la noche de la inauguración, en el estadio de Seúl: una cámara de látex, rodeada por una malla de tela cubierta por espuma de gas, que tenía por piel una blanca capa de polímero decorada con el símbolo del fuego. Una pelota hecha para arrancar fortunas del pasto.

***

Fueron dos los campeonatos mundiales de fútbol. En uno jugaron los deportistas de carne y hueso. En el otro, al mismo tiempo, jugaron los robots. Los atletas mecánicos, programados por ingenieros, disputaron la RoboCup 2002 en el puerto japonés de Fukuoka, frente a la costa coreana.

¿Cuál es el sueño más frecuente de los empresarios, los tecnócratas, los burócratas y los ideólogos de la industria del fútbol? En el sueño, cada vez más parecido a la realidad, los jugadores imitan a los robots.

Triste signo de los tiempos, el siglo XXI sacraliza la uniformidad en nombre de la eficiencia y sacrifica la libertad en los altares del éxito. «Uno no gana porque vale, sino que vale porque gana», había comprobado, hace ya algunos años, Cornelius Castoriadis. Él no se refería al fútbol, pero era como si. Prohibido perder tiempo, prohibido perder: convertido en trabajo, sometido a las leyes de la rentabilidad, el juego deja de jugar. Cada vez más, como todo lo demás, el fútbol profesional parece regido por la UENBE (Unión de Enemigos de la Belleza), poderosa organización que no existe pero manda.

Obediencia, velocidad, fuerza y nada de firuletes: éste es el molde que la globalización impone. Se fabrica, en serie, un fútbol más frío que una heladera. Y más implacable que una máquina trituradora. Un fútbol de robots. Se supone que este aburrimiento es el progreso, pero el historiador Arnold Toynbee había pasado por muchos pasados cuando comprobó: «La más consistente característica de las civilizaciones en decadencia es la tendencia a la estandarización y la uniformidad».

***

⊛ ⊛ ⊛ ⊛ ⊛ ⊛ ⊛ ⊛ ⊛ ⊛ ⊛ ⊛ ⊛ **255**

Volvamos al Mundial de carne y hueso. En el partido inaugural, más de una cuarta parte de la humanidad asistió, por televisión, a la primera sorpresa. Francia, el país campeón del Mundial anterior, fue vencido por Senegal, que había sido una de sus colonias africanas y que por primera vez participaba en una Copa del mundo. Contra todos los pronósticos, Francia quedó por el camino en la serie inicial, sin meter ni un solo gol. Argentina, el otro gran favorito en las apuestas, también cayó en las primeras de cambio. Y después se marcharon Italia y España, asaltados a mano armada por los árbitros. Pero todas estas escuadras poderosas fueron sobre todo víctimas de la obligación de ganar y del terror de perder, que son hermanos gemelos. Las grandes estrellas del fútbol habían llegado a la Copa abrumadas por el peso de la fama y de la responsabilidad, y extenuadas por el feroz ritmo de exigencia de los clubes donde actúan.

Sin historia mundialera, sin estrellas, sin la obligación de ganar ni el terror de perder, Senegal jugó en estado de gracia, y fue la revelación del campeonato. China, Ecuador y Eslovenia, que también hacían su bautismo de fuego, quedaron por el camino en la primera rueda. Senegal llegó invicto a los cuartos de final y no pudo pasar más allá, pero su bailito incesante nos devolvió una sencilla verdad que suelen olvidar los científicos de la pelota: el fútbol es un juego, y quien juega, cuando juega de verdad, siente alegría y da alegría. Fue obra de Senegal el gol que más me gustó en todo el torneo, pase de taquito de Thiaw, certero disparo de Cámara; y uno de sus jugadores, Diouf, hizo la mayor cantidad de gambetas, a un promedio de ocho por partido, en un campeonato donde ese placer de los ojos parecía prohibido.

La otra sorpresa fue Turquía. Nadie creía. Llevaba medio siglo de ausencia en los mundiales. En su partido inicial, contra Brasil, la selección turca fue alevosamente estafada por el árbitro; pero siguió viaje, y acabó conquistando el tercer puesto. Su fútbol, mucho brío, buena calidad, dejó mudos a los expertos que lo habían despreciado.

Casi todo lo demás fue un largo bostezo. Por suerte, en sus partidos finales, Brasil recordó que era Brasil. Cuando se desataron, y jugaron a la brasileña, sus jugadores se salieron de la jaula de eficiente mediocridad donde el director técnico, Scolari, los tenía encerrados. Entonces sus cuatro erres, Rivaldo, Ronaldo, Ronaldinho Gaúcho y Roberto Carlos, pudieron lucirse a plenitud y, por fin, Brasil pudo ser una fiesta.

\*\*\*

Y fue campeón. En vísperas de la final, ciento setenta millones de brasileños pincharon salchichas alemanas con alfileres, y Alemania sucumbió 2 a 0. Era la séptima victoria brasileña en siete partidos. Los dos países habían sido muchas veces finalistas, pero nunca se habían enfrentado en un Mundial. En tercer lugar entró Turquía y Corea del Sur quedó cuarta. Traducido a términos de mercado, Nike conquistó el primer y el cuarto puesto y Adidas obtuvo el segundo y el tercero.

El brasileño Ronaldo, resucitado al cabo de una larga lesión, encabezó la tabla de goleadores, con ocho tantos, seguido por su compatriota Rivaldo, con cinco, y el danés Tomasson y el italiano Vieri, con cuatro goles cada uno. El turco Sukur hizo el gol más veloz de la historia de las Copas, a los once segundos de juego.

Por primera vez en la historia, un arquero, el alemán Oliver Khan, fue elegido el mejor jugador del torneo. Por el terror que inspiraba a los rivales, parecía hijo del otro Khan, Gengis. Pero no era.

# El Mundial 2006

Como era costumbre, los aviones de la CIA andaban por los aeropuertos europeos, como Perico por su casa, sin autorización ni aviso ni nada, trasladando presos hacia las cámaras de tortura distribuidas por el mundo.

Como era costumbre, Israel invadía Gaza, y por rescatar a un soldado secuestrado secuestraba, a sangre y fuego, la soberanía palestina.

Como era costumbre, los científicos advertían que el clima se estaba enloqueciendo y más temprano que tarde se derretirán los polos y los mares devorarán puertos y playas, pero los enloquecedores del clima, los envenenadores del aire, seguían, como era costumbre, sordos.

Como era costumbre, se estaba cocinando un fraude para las próximas elecciones en México, donde el cuñado del candidato de la derecha había diseñado santamente la base de datos para el cómputo oficial de los votos.

Como era costumbre, fuentes bien informadas de Miami anunciaban la inminente caída de Fidel Castro, que iba a desplomarse en cuestión de horas.

Como era costumbre, se confirmaba que en Cuba se violaban los derechos humanos: en Guantánamo, base militar norteamericana en territorio cubano, tres de los muchos presos encerrados sin acusación ni proceso aparecían ahorcados en sus celdas, y la Casa Blanca explicaba que esos terroristas se habían matado para llamar la atención.

Como era costumbre, se desataba un escándalo cuando Evo Morales, primer presidente indígena de Bolivia, nacionalizaba el petróleo y el gas, cometiendo así el imperdonable crimen de hacer lo que había prometido hacer.

Como era costumbre, la guerra continuaba sus matanzas en Irak, país culpable de tener petróleo, mientras la empresa Pandemic Studios, de California, anunciaba el lanzamiento de un nuevo videojuego en el que los héroes invadían Venezuela, otro país culpable de tener petróleo.

Y los Estados Unidos amenazaban con invadir Irán, país culpable de tener petróleo, porque Irán quería la bomba atómica, y eso era un peligro para la humanidad desde el punto de vista del país que había arrojado las bombas atómicas sobre Hiroshima y Nagasaki.

También Bruno era un peligro. Bruno, oso salvaje, se había escapado de Italia y andaba retozando por los bosques germanos. Aunque él no parecía para nada interesado en el fútbol, los agentes del orden conjuraron la amenaza ejecutándolo a balazos en Baviera, poco antes de que fuera inaugurado el decimoctavo campeonato del mundo.

\*\*\*

Treinta y dos países, de cinco continentes, disputaron sesenta y cuatro partidos en doce estadios, imponentes, bellos, funcionales, de la Alemania unificada: once estadios del oeste y apenas uno del este.

 **259**

Este Mundial estuvo signado por las consignas que las selecciones enarbolaron, al comienzo de los partidos, contra la peste universal del racismo.

El tema ardía. En vísperas del torneo, el dirigente político francés Jean-Marie Le Pen proclamó que Francia no se reconocía en sus jugadores, porque eran casi todos negros y porque su capitán, Zinedine Zidane, más argelino que francés, no cantaba el himno, y el vicepresidente del Senado italiano, Roberto Calderoli, le hizo eco opinando que los jugadores de la selección francesa eran negros, islamistas y comunistas que preferían la *Internacional* a la *Marsellesa* y La Meca a Belén. Algún tiempo antes, el entrenador de la selección española, Luis Aragonés, había llamado *negro de mierda* al jugador francés Thierry Henry, y el presidente perpetuo del fútbol sudamericano, Nicolás Leoz, presentó su autobiografía diciendo que él había nacido *en un pueblo donde vivían treinta personas y cien indios*.

Poquito antes de que el torneo terminara, casi al final de la final, Zidane, que se estaba despidiendo del fútbol, embistió contra un rival que le había dicho y repetido algunos de esos insultos que los energúmenos suelen chillar desde las tribunas de los estadios. El insultador quedó planchado en el piso y Zidane, el insultado, recibió una tarjeta roja del juez y una rechifla del público que iba a ovacionarlo, y se marchó para siempre.

Pero éste fue su Mundial. Él fue el mejor jugador del torneo, a pesar de este último acto de locura o de justicia, según se mire. Gracias a sus bellas jugadas, gracias a su melancólica elegancia, pudimos creer que el fútbol no está irremediablemente condenado a la mediocridad.

***

En ese último partido, poco después de la expulsión de Zidane, Italia se impuso a Francia por penales y se consagró campeón.

Hasta 1968, los partidos empatados se definían al vuelo de una moneda. Desde entonces, se han definido por penales, que bastante se parecen al capricho del azar. Francia había sido más que Italia, pero unos pocos segundos pudieron más que dos horas de juego. Lo mismo había ocurrido, antes, en el partido donde Argentina, superior a Alemania, tuvo que volverse a casa.

\*\*\*

Ocho jugadores del club italiano Juventus llegaron a la final en Berlín: cinco jugando por Italia y tres por Francia. Y se dio la casualidad de que la Juventus era la escuadra más comprometida en los chanchullos que se destaparon en vísperas del Mundial. De las *manos limpias* a los *pies limpios*: los jueces italianos comprobaron toda una colección de trapisondas, compra de árbitros, compra de periodistas, falsificación de contratos, adulteración de balances, reparto de posiciones, manipulación de la tele... Entre los clubes implicados estaba el Milan, propiedad del virtuoso Silvio Berlusconi, que con tan exitosa impunidad había practicado el fraude en el fútbol, en los negocios y en el gobierno.

\*\*\*

Italia ganó su cuarta Copa y Francia entró segunda, seguida de Alemania y Portugal, lo que también se puede traducir diciendo que Puma triunfó sobre Adidas y Nike.

Miroslav Klose, de la selección alemana, fue el goleador, con cinco tantos.

América y Europa quedaron empatados: nueve mundiales ganó cada continente.

Por primera vez en la historia, el mismo árbitro, el argentino Horacio Elizondo, dio el primer pitazo y el último, en la inauguración y en la final. Demostró que había sido bien elegido.

Hubo otros récords, todos brasileños. Ronaldo, gordo pero eficaz, fue el máximo goleador de la historia de los mundiales, Cafú se convirtió en el jugador con más partidos ganados y Brasil pasó a ser el país con más goles, nada menos que doscientos uno, y con más victorias consecutivas, nada menos que once.

Sin embargo, en este Mundial 2006 Brasil estuvo, pero no se vio. Ronaldinho, la superestrella, no ofreció goles ni fulgores, y la ira popular convirtió su estatua, que medía siete metros de alto, en un montón de cenizas y de hierros retorcidos.

***

Este torneo terminó siendo una Eurocopa, sin latinoamericanos, ni africanos, ni nadie que no fuera europeo en las etapas finales.

Salvo la selección ecuatoriana, que jugó lindo lindo aunque no llegó lejos, fue un Mundial sin sorpresas. Algún espectador supo resumirlo así:

—*Los jugadores tienen una conducta ejemplar. No fuman, no beben, no juegan.*

Los resultados recompensaron esto que ahora llaman sentido práctico. Poca fantasía se vio. Los artistas dejaron lugar a los levantadores de pesas y a los corredores olímpicos, que al pasar pateaban una pelota o un rival.

Todos atrás, casi nadie adelante. Una muralla china defendiendo el arco y algún Llanero Solitario esperando el contragolpe. Hasta hace algunos años, los *forwards* eran cinco. Ahora sólo queda uno, y al paso que vamos ni uno quedará.

Como ha comprobado el zoólogo Roberto Fontanarrosa, el delantero y el oso panda son especies en extinción.

# El Mundial 2010

Una campaña internacional convertía a Irán en el más grave peligro para la humanidad, porque dicen que dicen que Irán tendría o podría tener armas nucleares, *como si* hubieran sido iraníes los que arrojaron las bombas atómicas sobre la población civil de Hiroshima y Nagasaki;

Israel ametrallaba, en aguas internacionales, los barcos que llevaban a Palestina alimentos, medicinas y juguetes, en uno de los habituales actos criminales que castigan a los palestinos *como si* ellos, que son semitas, fueran culpables del antisemitismo y sus horrores;

el Fondo Monetario, el Banco Mundial y numerosos gobiernos humillaban a Grecia obligándola a que aceptara lo inaceptable, *como si* hubieran sido los griegos, y no los banqueros de Wall Street, los responsables de la peor crisis internacional desde 1929;

el Pentágono anunciaba que sus expertos habían descubierto, en Afganistán, un yacimiento de un millón de millones de dólares en oro, cobalto, cobre, hierro y sobre todo litio, el codiciado mineral imprescindible para los teléfonos celulares y las computadoras portátiles, y el país invasor lo anunciaba alegremente, *como*

*si* al cabo de casi nueve años de guerra y miles de muertos hubiera encontrado lo que de veras buscaba en el país invadido;

en Colombia aparecía una fosa común con más de dos mil muertos sin nombre, que el ejército había arrojado allí *como si* fueran guerrilleros abatidos en combate, aunque los vecinos del lugar sabían que eran militantes sindicales, activistas comunitarios y campesinos que defendían sus tierras;

una de las peores catástrofes ecológicas de todos los tiempos convertía el golfo de México en un inmenso charco de petróleo, y un mes y medio después el fondo de la mar seguía siendo un volcán de petróleo, mientras la empresa British Petroleum silbaba y miraba para otro lado, *como si* no tuviera nada que ver;

en varios países, una catarata de denuncias acusaba a la Iglesia Católica de abusos sexuales y violaciones de niños, y por todas partes se multiplicaban los testimonios que el miedo había reprimido durante años y que por fin salían a luz, mientras algunas fuentes eclesiásticas se defendían diciendo que esas atrocidades ocurrían también fuera de la Iglesia, *como si* eso la disculpara, y que en muchos casos los sacerdotes habían sido provocados, *como si* los culpables fueran las víctimas;

fuentes bien informadas de Miami seguían negándose a creer que Fidel Castro siguiera vivito y coleando, *como si* no les estuviera dando nuevos disgustos cada día;

se nos iban dos escritores sin suplentes, José Saramago y Carlos Monsiváis, y los extrañábamos *como si* no supiéramos que seguirán resucitando entre los muertos, por imposible que parezca, por el puro placer de atormentar a los dueños del mundo;

y en el puerto de Hamburgo, una multitud celebraba el regreso a la primera división alemana del club de fútbol Sankt Pauli, que cuenta con veinte millones de simpatizantes, por imposible que parezca, congregados en torno a las banderas del club: *No al racismo, no al sexismo, no a la homofobia, no al nazismo,* mientras lejos de allí, en Sudáfrica, se inauguraba el decimonoveno campeonato mundial de fútbol, al amparo de una de esas banderas: *No al racismo.*

\*\*\*

Durante un mes, el mundo dejó de girar y muchos de sus habitantes dejamos de respirar.

Nada de raro, porque esto ocurre cada cuatro años, pero lo raro fue que éste fue el primer Mundial en tierra africana.

El África negra, despreciada, condenada al silencio y al olvido, pudo ocupar por un ratito el centro de la atención universal, al menos mientras duró el campeonato.

Treinta y dos países disputaron la Copa en diez estadios que costaron un dineral. Y no se sabe cómo hará Sudáfrica para mantener en actividad esos gigantes de cemento, multimillonario derroche fácil de explicar pero difícil de justificar en uno de los países más injustos del mundo.

\*\*\*

El estadio más hermoso, en forma de flor, abre sus inmensos pétalos sobre la bahía llamada Nelson Mandela.

Mandela fue el héroe de este Mundial. Un homenaje más que merecido al fundador de la democracia en su país. Su sacrificio ha rendido frutos que están a la vista, de alguna manera, en el planeta entero. Sin embargo, en Sudáfrica todavía los negros siguen siendo los más pobres y los más castigados por la policía y por las pestes, y fueron negros los mendigos, las prostitutas y los niños de la calle, que en vísperas del Mundial fueron ocultados para no dar mala impresión a las visitas.

\*\*\*

A lo largo del torneo, se pudo ver que el fútbol africano conservó su agilidad pero perdió desparpajo y fantasía, corrió mucho pero poco bailó. Hay quienes creen que los directores técnicos de las selecciones, casi todos europeos, contribuyeron a este enfriamiento. Si así fuera, flaco favor han hecho a un fútbol que tanta alegría prometía.

África sacrificó sus virtudes en nombre de la eficacia, y la eficacia brilló por su ausencia. Un solo país africano, Ghana, llegó a estar entre los ocho mejores; y poco después, también Ghana volvió a casa. Ninguna selección africana sobrevivió, ni siquiera la del país anfitrión.

Muchos de los jugadores africanos dignos de su herencia de buen fútbol viven y juegan en el continente que había esclavizado a sus abuelos.

En uno de los partidos del Mundial, se enfrentaron los hermanos Boateng, hijos de padre ghanés: uno llevaba la camiseta de Ghana, y el otro la camiseta de Alemania.

De los jugadores de la selección de Ghana, ninguno jugaba en el campeonato local de Ghana.

De los jugadores de la selección de Alemania, todos jugaban en el campeonato local de Alemania.

Como América Latina, África exporta mano de obra y pie de obra.

\*\*\*

*Jabulani* se llamó la pelota del torneo, enjabonada, medio loca, que huía de las manos y desobedecía a los pies. Este novedad de Adidas fue impuesta en el Mundial, aunque a los jugadores no les gustaba ni un poquito. Desde su castillo de Zúrich, los amos del fútbol imponen, no proponen. Tienen costumbre.

\*\*\*

Los errores y los horrores cometidos por algunos árbitros pusieron en evidencia, una vez más, lo que el sentido común exige desde hace muchos años.

A gritos clama el sentido común, siempre en vano, que el árbitro pueda consultar los primeros planos registrados por las cámaras ante las jugadas decisivas que resulten dudosas. La tecnología permite, ahora, que ese cotejo se haga con la rapidez y la naturalidad con que se consulta otro instrumento tecnológico, llamado reloj, para medir el tiempo de cada partido. Todos los demás deportes, el basquetbol, el tenis, el béisbol, la natación y hasta la esgrima y las carreras de autos, utilizan normalmente las ayudas electrónicas. El fútbol no. Y la explicación de sus amos resultaría cómica si no fuera simplemente sospechosa: *El error forma parte del juego*, dicen, y nos dejan boquiabiertos descubriendo que *errare humanum est.*

\*\*\*

La mejor atajada del torneo no fue obra de un golero, sino de un goleador: el atacante uruguayo Luis Suárez detuvo la resbalosa pelota con las dos manos, en la línea de gol, en el último minuto de un partido decisivo. Ese gol hubiera dejado a su país fuera de la Copa: gracias a su acto de patriótica locura, Suárez fue expulsado pero Uruguay no.

\*\*\*

Uruguay, que había entrado al Mundial en el último lugar, al cabo de una penosa clasificación, jugó todo el campeonato sin rendirse nunca, y fue el único país latinoamericano que llegó a las semifinales. Algunos cardiólogos nos advirtieron, desde la prensa, que *el exceso de felicidad puede ser peligroso para la salud.* Numerosos uruguayos, que parecíamos condenados a morir de aburrimiento, celebramos ese riesgo, y las calles del país fueron una fiesta. Al fin y al cabo, el derecho a festejar los méritos propios es siempre preferible al placer que algunos sienten por la desgracia ajena.

Uruguay terminó ocupando el cuarto puesto, que no está tan mal para el único país que pudo evitar que este Mundial fuera nada más que una Eurocopa.

Diego Forlán, nuestro goleador, fue elegido el mejor jugador del torneo.

\*\*\*

Ganó España. Este país, que nunca había conquistado el trofeo mundial, lo ganó en buena ley, por obra y gracia de su fútbol solidario, uno para todos, todos para uno, y por la asombrosa habilidad de ese pequeño mago llamado Andrés Iniesta.

Holanda fue vice, al cabo de un último partido donde traicionó, a las patadas, sus mejores tradiciones.

\*\*\*

El campeón y el vicecampeón del Mundial anterior volvieron a casa sin abrir las maletas. En el año 2006, Italia y Francia se habían encontrado en el partido final. Ahora se encontraron en la puerta de salida del aeropuerto. En Italia, se multiplicaron las voces críticas de un fútbol jugado para impedir que el rival jugara. En Francia, el desastre provocó una crisis política y encendió las furias racistas, porque habían sido negros casi todos los jugadores que cantaron «La Marsellesa» en los estadios sudafricanos.

Otros favoritos, como Inglaterra, tampoco duraron mucho.

Brasil y Argentina sufrieron crueles baños de humildad. Brasil fue irreconocible, salvo en los momentos de libertad que rompieron la jaula del esquema defensivo. ¿De qué estaba enfermo ese fútbol para necesitar tan dudoso remedio?

Argentina fue goleada en su último partido. Medio siglo antes, otra selección argentina había recibido una lluvia de monedas cuando regresó de un Mundial desastroso, pero esta vez fue bienvenida por una multitud abrazadora. Todavía hay gente que cree en cosas más importantes que el éxito o el fracaso.

\*\*\*

Este Mundial confirmó que los jugadores se lesionan con reveladora frecuencia, triturados como están por el extenuante ritmo de trabajo que impone, impunemente, el fútbol profesional. Se dirá que algunos se han hecho ricos, y hasta riquísimos, pero eso sólo es verdad para los más cotizados, que además de jugar dos o más partidos por semana, y además de entrenarse noche y día, sacrifican a la sociedad de consumo sus escasos minutos libres vendiendo calzoncillos, autos, perfumes y afeitadoras y posando para las tapas de las revistas de lujo. Y al fin y al cabo, eso sólo prueba que este mundo es tan absurdo que hasta contiene esclavos millonarios.

*\*\**

Faltaron a la cita las dos superestrellas más anunciadas y esperadas. Lionel Messi quiso estar, hizo lo que pudo, y algo se vio. Dicen que Cristiano Ronaldo estuvo, pero nadie lo vio: quizás estaba demasiado ocupado en verse.

Pero una nueva estrella, inesperada, surgió de las profundidades de los mares y se elevó a lo más alto del firmamento futbolero. Es un pulpo que vive en un acuario de Alemania. Se llama Paul, aunque merecería llamarse Pulpodamus.

Antes de cada partido, formulaba sus profecías. Le daban a elegir entre los mejillones que llevaban las banderas de los dos rivales. Él comía los mejillones del vencedor, y no se equivocaba.

El oráculo octópodo, que influyó decisivamente sobre las apuestas, fue escuchado en el mundo futbolero con religiosa reverencia y fue amado y odiado y hasta calumniado por algunos resentidos, como yo: cuando anunció que Uruguay perdería contra Alemania, denuncié:

—Este pulpo es un corrupto.

*\*\**

Cuando el Mundial comenzó, en la puerta de mi casa colgué un cartel que decía: *Cerrado por fútbol.*

Cuando lo descolgué, un mes después, yo ya había jugado sesenta y cuatro partidos, cerveza en mano, sin moverme de mi sillón preferido.

Esa proeza me dejó frito, los músculos dolidos, la garganta rota; pero ya estoy sintiendo nostalgia. Ya empiezo a extrañar la insoportable letanía de las vuvuzelas, la emoción de los goles no aptos para cardíacos, la belleza de las mejores jugadas repetidas en cámara lenta. Y también la fiesta y el luto, porque a veces el fútbol es una alegría que duele, y la música que celebra alguna victoria de esas que hacen bailar a los muertos suena muy cerca del clamoroso silencio del estadio vacío, donde algún vencido, solo, incapaz de moverse, espera sentado en medio de las inmensas gradas sin nadie.

# El Mundial 2014

Hace un siglo largo, el poeta Antonio Machado se había burlado de los numerosos necios que confunden valor y precio:

—*Dime cuánto cuestas y te diré cuánto vales.*

Pero hete aquí que los expertos habían cotizado en 916 millones de dólares a la selección española en el Mundial de fútbol del año 2014, y España resultó ser, ay, la primera selección eliminada al comienzo del campeonato.

\*\*\*

El fútbol es la organización más poderosa del mundo, afirmó Joseph Blatter, amo supremo, en la ceremonia inaugural del Congreso de la FIFA, y en plena explosión de euforia anunció que "algún día nuestro deporte tendrá torneos interplanetarios".

Al mismo tiempo, informó que las reservas del negocio han subido ya a 1432 millones de dólares.

\*\*\*

Mal no les va, la verdad sea dicha. La FIFA no cobra impuestos a *McDonald's*, ni a la Coca-Cola, ni a otros generosos patrocinadores, pero embolsa fortunas con la venta de derechos a los canales de televisión, y con los sobornos fabulosos que cobra por ofrecer locales para los próximos campeonatos.

Se estima que el trofeo del año 2014, disputado en plena crisis universal, dejará ganancias limpias superiores a los mil ochocientos millones de dólares.

\*\*\*

Éste está siendo el torneo más caro de la historia, y también el que está dejando la mayor cantidad de jugadores lesionados.

¿Por qué se convirtieron en hospitales los campos de fútbol? La respuesta es simple: salvo los jugadores que brillan en lo más alto del cielo, la casi totalidad de los demás viven sometidos a un régimen de trabajo que evoca los tiempos de la esclavitud, sin sindicatos que los defiendan y ganando salarios que están por debajo del mínimo de los mínimos. Y eso en un Brasil donde están estallando los volcanes de la indignación popular ante el derroche de las construcciones faraónicas en contraste con los fondos destinados a la salud pública y la enseñanza gratuita.

\*\*\*

Hasta el año 2014, era imposible imaginar que el fútbol, llamado *soccer* en los Estados Unidos, pudiera competir en popularidad con el béisbol, el básquet o el hockey, pero los vientos de este Mundial soplaron con fuerza imprevista, y las encuestas indican que este campeonato ha incorporado más de seis millones de nuevos fanáticos a este deporte que desata pasiones semejantes a una religión universal.

Bienvenidos a la fiesta.

# Las fuentes

Aguirre, José Fernando, *Ricardo Zamora*, Barcelona, Clíper, 1958.

Alcântara, Eurípedes, «A eficiencia da retranca», y otros artículos por Marcos Sá Corrêa, Maurício Cardoso y Roberto Pompeu de Toledo, en la edición extra de la revista Veja, San Pablo, 18 de julio de 1994.

Altafini, José, *I magnifici 50 del calcio mondiale*, Milán, Sterling & Kupfer, 1985.

*Anuario mundial de football profesional*, Buenos Aires, junio de 1934, año 1, núm. 1.

Archetti, Eduardo P., *Estilo y virtudes masculinas en* El Gráfico: *la creación del imaginario del fútbol argentino*, Universidad de Oslo, Departamento de Antropología Social.

Arcucci, Daniel, «Mágicos templos del fútbol», *El Gráfico*, Buenos Aires, 20 de marzo de 1991.

Arias, Eduardo, y otros, *Colombia gol. De Pedernera a Maturana. Grandes momentos del fútbol*, Bogotá, Cerec, 1991.

Asociación del Fútbol Argentino, *Cien años con el fútbol*, Buenos Aires, Zago, 1993.

Associazione Italiana Arbitri, *75 anni di storia*, Milán, Vallardi, 1987.

Barba, Alejandro, *Foot Ball, Base Ball y Lawn Tennis*, Barcelona, Soler, s/f.

Bartissol, Charles y Christoplie, *Les racines du football français*, París, Pac, 1983.

Bayer, Osvaldo, *Fútbol argentino*, Buenos Aires, Sudamericana, 1990.

Benedetti, Mario, «Puntero izquierdo», en la antología de varios autores *Hinchas y goles. El fútbol como personaje*, Buenos Aires, Desde la gente, 1994.

Blanco, Eduardo, «El negocio del fútbol», *La Maga*, Buenos Aires, 7 de diciembre de 1994.

Boix, Jaume, y Arcadio Espada, *El deporte del poder*, Madrid, Temas de Hoy, 1991.

Boli, Basile, *Black Boli*, París, Grasset, 1994.

Brie, Christian de, «Il calcio francese sotto i piedi dei mercanti», en la edición italiana de *Le Monde Diplomalique*, publicada por *Il Manifesto*, Roma, junio de 1994.

Bufford, Bill, *Among the thugs. The experience, and the seduction, of crowd violence*, Nueva York, Norton, 1992.

Camus, Albert, testimonio publicado en la antología *Su Majestad el fútbol*, de Eduardo Galeano, Montevideo, Arca, 1968.

— *Le premier homme*, París, Gallimard, 1994.

Cappa, Ángel, «Fútbol, un animal de dos patas», *Disenso*, núm. 7, Las Palmas de Gran Canaria.

Carías, Marco Virgilio, con Daniel Slutzky, *La guerra inútil. Análisis socio-económico del conflicto entre Honduras y El Salvador*, San José de Costa Rica, EDUCA, 1971.

Cepeda Samudio, Álvaro, «Garrincha», en *Alrededor de! fútbol*, Universidad de Antioquia, Medellín, 1994.

Cerretti, Franco, *Storia illustrata dei Mondiali di Calcio*, Roma, Anthropos, 1986.

Comisión de asuntos históricos, *La historia de Vélez Sarsfield (1910/1980)*, Buenos Aires, 1980.

Coutinho, Edilberto, *Maracaná, adeus*, La Habana, Casa de las Américas, 1980.

Decaux, Sergio, *Peñarol campeón del mundo*, colección «100 años de fútbol», núm. 21, Montevideo, 1970.

Délano, Poli, *Hinchas y goles (antología)*, Buenos Aires, Desde la gente, 1994.

Duarte, Orlando, *Todas las Copas del Mundo*, Madrid, McGraw-Hill, 1993.

Dujovne Ortiz, Alicia, *Maradona sono io. Un viaggio alla scoperta di una identità*, Nápoles, Edizioni Scientifiche Italiane, 1992.

Dunning, Eric, y otros, *The roots of football hooliganism*, Londres/Nueva York, Routledge and Kegan Paul, 1988.

Entrevista con cuatro integrantes de la «barra brava» del club Nacional, *La República*, Montevideo, 1° de diciembre de 1993.

Escande, Enrique, *Nolo. El fútbol de la cabeza a los pies*, Buenos Aires, Ukumar, 1992.

Faria, Octavio de, y otros, *O ôlho na bola*, Río de Janeiro, Gol, 1968.

Felice, Gianni de, «Il giallo della Fifa», *Guerin Sportivo*, 25 de enero de 1995.

Fernández, José Ramón, *El fútbol mexicano: ¿un juego sucio?*, México, Grijalbo, 1994.

Fernández Seguí, J. A., *La preparación física del futbolista europeo*, Madrid, Sanz Martínez, 1977.

Ferreira, Carlos, *A mi juego...*, Buenos Aires, La Campana, 1983.

Galiacho, Juan Luis, *Jesús Gil y Gil, el gran comediante*, Madrid, Temas de Hoy, 1993.

Gallardo, César L., y otros, *Los maestros*, colección «100 años de fútbol», núm. 12, Montevideo, 1970.

García-Candau, Julián, *El fútbol sin ley*, Madrid, Penthalon, 1981.

— *Épica y lírica del fútbol*, Madrid, Alianza, 1995.

Geronazzo, Argentino, *Técnica y táctica del fútbol*, Buenos Aires, Lidiun, 1980.

Gisperr, Carlos, y otros, *Enciclopedia mundial del fútbol*, 6 vols., Barcelona, Océano, 1982.

Goethals, Raymond, *Le douzième homme*, París, Laffont, 1994.

Guevara, Ernesto, *Mi primer gran viaje*, Buenos Aires, Seix Barral, 1994.

Gutiérrez Cortinas, Eduardo, *Los negros en el fútbol uruguayo*, colección «100 años de fútbol», núm. 10, Montevideo, 1970.

Havelange, João, entrevista con Simón Barnes en *The Times*, Londres, 15 de febrero de 1991.

— Discurso pronunciado ante la cámara de Comercio Brasil-USA, en Nueva York, el 27 de octubre de 1994. Publicado por *El Gráfico*, Buenos Aires, 8 de noviembre de 1994.

Hernández Coronado, Pablo, *Las cosas del fútbol*, Madrid, Plenitud, 1955.

Herrera, Helenio, *Yo*, Barcelona, Planeta, 1962.

Hirschmann, Micael, y Kátia Lerner, *Lance de sorte. O futebol e o jogo do bicho na Belle Époque carioca*, Río de Janeiro, Diadorim, 1993.

*Historia de la Copa del Mundo*, serie de videos documentales y ediciones especiales de *El Gráfico*, Buenos Aires, 1994.

*Historia del fútbol*, tres videos documentales de Transworld International, Metrovideo, Madrid, 1991.

*Homenaje al fútbol argentino*, varios autores, edición especial de *La Maga*, Buenos Aires, enero/febrero de 1994.

Howe, Don, y Brian Scovell, *Manual de fútbol*, Barcelona, Martínez Roca, 1991.

Hübener, Karl Ludolf, y otros, *¿Nunca más campeón mundial? Seminario sobre fútbol, deportes y política en el Uruguay*, Montevideo, Fesur, 1990.

Huerta, Héctor, *Héroes de consumo popular*, Guadalajara, Ágata, 1992.

Ichah, Robert, *Platini*, París, Inéditions, 1994.

Lago, Alessandro dal, *Descrizione di una battaglia. I rituali del calcio*, Bolonia, Il Mulino, 1990.

— con Roberto Moscati, *Regalateci un sogno. Miti e realtà del tifo calcistico in Italia*, Milán, Bompiani, 1992.

— con Pier Aldo Rovatti, *Per gioco. Piccolo manuale dell'esperienza ludica*, Milán, Cortina, 1993.

Lazzarini, Marta, y Patricia Luppi, «Reportaje a Roberto Perfumo», en *el Boletín de temas de psicología social*, año 2, núm. 5, Buenos Aires, septiembre de 1991.

Lezioni di Storia, serie de cuatro suplementos del diario *Il Manifesto*, Roma, junio/julio de 1994.

Lever, Janet, *La locura por el fútbol*, México, FCE, 1985.

Loedel, Carlos, *Hechos y actores del profesionalismo*, colección «100 años de fútbol», núm. 14, Montevideo, 1970.

Lombardo, Ricardo, *Donde se cuentan proezas. Fútbol uruguayo (1920/1930)*, Montevideo, Banda Oriental, 1993.

Lorente, Rafael, *Di Stéfano cuenta su vida*, Madrid, s/e, 1954.

Lorenzo, Juan Carlos, y Jorge Castelli, *El fútbol en un mundo de cambios*, Buenos Aires, Freeland, 1977.

Lucero, Diego, *La boina fantasma*, colección «100 años de fútbol», núm. 20, Montevideo, 1970.

276

Marelli, Roberto, *Estudiantes de La Plata, campeón intercontinental*, Buenos Aires, Norte, 1978.

Mario Filho, *O romance do foot-ball*, Río de Janeiro, Pongetti, 1949.

— *O negro no futebol brasileiro*, Río de Janeiro, Civilizaçao Brasileira, 1964.

— Historias do Flamengo, Río de Janeiro, Record, 1966.

— *O sapo de Arubinha*, San Pablo, Companhia das Letras, 1994.

Martín, Carmelo, *Valdano. Sueños de fútbol*, Madrid, El País/Aguilar, 1994.

Maturana, Francisco, con José Clopatofsky, *Talla mundial*, Bogotá, Intermedio, 1994.

Mercier, Joseph, *Le football*, París, Presses Universitaires, 1979.

Meynaud, Jean, *Sport et politique*, París, Payot, 1966.

Milá, Mercedes, «La violencia en el fútbol», en el programa *Queremos saber*, Madrid, Antena 3 de Televisión, enero de 1993.

Minà, Gianni, «Le vie del calcio targate Berlusconi», *La Repubblica*, Roma, 6 de mayo de 1988.

— «I padroni del calcio. La Federazione s'é fatta holding», *La Repubblica*, Roma, 19 de julio de 1990.

— con otros miembros del Comité «La classe non è acqua», *Te Diegum*, Milán, Leonardo, 1991.

Morales, Franklin, «Historia de Nacional» e «Historia de Peñarol», serie de suplementos del diario *La Mañana*, Montevideo, 1989.

— *Fútbol, mito y realidad*, colección «Nuestra Tierra», núm. 22, Montevideo, 1969.

— *Los albores del fútbol uruguayo*, «colección 100 años de fútbol», núm. 1, Montevideo, 1969.

— *La gloria tan temida*, colección «100 años de fútbol», núm. 2, Montevideo, 1969.

— *Enviado especial* (1), Montevideo, Banco de Boston, 1994.

Morris, Desmond, *The soccer tribe*, Londres, Jonathan Cape, 1981.

Moura, Roberto, testimonios de Domingos da Guia y de Didí en *Pesquisa de campo*, Universidad del Estado de Río de Janeiro, junio de 1994.

Mura, Gianni, «Il calcio dei boia», *La Repubblica*, Roma, 29 de noviembre de 1994.

Nogueira, Armando, y otros, *A Copa que ninguém viu e a que não queremos lembrar*, San Pablo, Companhia das Letras, 1994.

Orwell, George, y otros autores, *El fútbol*, Buenos Aires, Jorge Álvarez, 1967.

Ossa, Carlos, *La historia de Colo-Colo*, Santiago de Chile, Plan, 1971.

Panzeri, Dante, *Fútbol, dinámica de lo impensado*, Buenos Aires, Paidós, 1967.

Papa, Antonio, y Guido Panico, *Storia sociale del calcio in Italia*, Bolonia, Il Mulino, 1993.

Pawson, Tony, *The goalscorers, from Bloomer to Keegan*, Londres, Cassell, 1978.

Pedrosa, Milton, *Gol de letra (antología)*, Río de Janeiro, Gol, s/f.

Pepe, Osvaldo, y otros, *El libro de los Mundiales*, Buenos Aires, Crea, 1978.

Perdigão, Paulo, *Anatomia de uma derrota*, Porto Alegre, L & PM, 1986.

Peucelle, Carlos, *Fútbol todotiempo e historia de «La Máquina»*, Buenos Aires, Axioma, 1975.

Pippo, Antonio, *Obdulio desde el alma*, Montevideo, Fin de Siglo, 1993.

Platini, Michel, con Patrick Mahé, *Ma vie comme un match*, París, Laffont, 1987.

Ponte Preta, Stanislaw, *Bola na rede: a batalha do bi*, Río de Janeiro, Civilização Brasileira, 1993.

Poveda Márquez, Fabio, *El Pibe. De Pescaíto a la gloria*, Bogotá, Intermedio, 1994.

Puppo, Julio César, «El Hachero», *Nueve contra once*, Montevideo, Arca, 1976.

— *Crónicas de fútbol*. Montevideo, Enciclopedia Uruguaya, 1969.

Rafael, Eduardo, «Memoria: José Manuel Moreno», *El Toque*, Buenos Aires, 17 de marzo de 1994.

Ramírez, Miguel Ángel, «Los cachirules: la historia detrás de la nota», *Revista Mexicana de Comunicación*, núm. 1, México, setiembre/octubre de 1988.

— «Emilio Maurer contra Televisa, una batalla épica en el fútbol local», *La Jornada*, México, 7 al 12 de diciembre de 1993.

Reid, Alastair, *Ariel y Calibán*, Bogotá, Tercer Mundo, 1994.

Ribeiro, Péris, *Didí, o genio da folha seca*, Río de Janeiro, Imago, 1993.

Rocca, Pablo, *Literatura y fútbol en el Uruguay (1899/1990)*, Montevideo, Arca, 1991.

Rodrigues, Nelson, *A sombra das chuteiras imortais*, San Pablo, Companhia das Letras. 1993.

— *A patria em chuteiras*, San Pablo, Companhia das Letras, 1994.

— con Mário Filho, *Fla-Flu*, Río de Janeiro, Europa, 1987.

Rodríguez Arias, Miguel, *Diego*, vídeo documental, Buenos Aires, Las Patas de la Mentira, 1994.

Rodríguez, Nelson, *El fútbol como apostolado*, Montevideo, Juventus/Colegio de Escribanos, 1995.

Rowles, James, *El conflicto Honduras-El Salvador (1969)*, San José de Costa Rica, EDUCA, 1980.

Ruocco, Ángel, «Grandes equipos italianos en zozobra», artículo de la agencia Ansa, publicado en *El País*, Montevideo, 16 de enero de 1994.

Ryswick, Jacques de, *100 000 heures de football*, París, La Table Ronde, 1962.

Saldanha, João, *Meus amigos*, Río de Janeiro, Nova Mitavaí, 1987.

— *Futebol e outras historias*, Río de Janeiro, Record, 1988.

Salvo, Alfredo di, *Amadeo Carrizo*, Buenos Aires, s/e, 1992.

Sanz, Tomás, y Roberto Fontanarrosa, *Pequeño diccionario ilustrado del fútbol argentino*, Buenos Aires, Clarín/Aguilar, 1994.

Sasía, José, *Orsai en el paraíso*, Montevideo, La Pluma, 1992.

Scliar, Salomão (comp.) y otros, *A história ilustrada do futebol brasileiro*, 4 vols., San Pablo, Edobras, s/f.

Scopelli, Alejandro, *¡Hola, mister! El fútbol por dentro*, Barcelona, Juventud, 1957.

Scher, Ariel, y Héctor Palomino, *Fútbol: pasión de multitudes y de élites*, Buenos Aires, Cisca, 1988.

Schumacher, Harald, *Der anpfiff. Entbüllungen über den deutschen fussball*, Munich, Knaur, 1987.

Seiherfeld, Alfredo, y Pedro Servín Fabio, *Álbum fotográfico del fútbol paraguayo*, Asunción, Editorial Histórica, 1986.

Shakespeare, William, *The comedy of errors*, Londres, Methuen, 1907.

— *King Lear*, Londres, Samuel French, 1967.

Shaw, Duncan, *Fútbol y franquismo*, Madrid, Alianza, 1987.

Silva, Thomaz Soares de, *Zizinho. O mestre Ziza*, Río de Janeiro, Maracaná, 1985.

Simson, Vyv, y Andrew Jennings, *Dishonored games. Corruption, money and greed at the Olympics*, Nueva York, Shapolsky, 1992.

Smorto, Giuseppe, «Nazione corrotta, calcio infetto», La Repubblica, Roma, 26 de marzo de 1993.

Sobrequés, Jaume, *Historia del Fútbol Club Barcelona*, Barcelona, Labor, 1994.

Soriano, Osvaldo, *Cuentos de los años felices*, Buenos Aires, Sudamericana, 1994.

Souza, Roberto Pereira de, *O poderoso chefão*, en la edición brasileña de *Playboy*, mayo de 1994.

Stárostin, Andréi, *Por esas canchas de fútbol*, Moscú, Lenguas Extranjeras, 1959.

Suburú, Nilo J., *Al fútbol se juega así. Catorce verdades universales*, Montevideo, Tauro, 1968.

— *Primer diccionario del fútbol*, Montevideo, Tauro, 1968.

Teissie, Justin, *Le football*, París, Vigot, 1969.

Termes, Josep, y otros, *Onze del Barça*, Barcelona, Columna, 1994.

Thibert, Jacques, *La fabuleuse histoire du football*, París, Odil, 1974.

Traverso, Jorge, *Primera Línea*, Montevideo, Banco de Boston, 1992.

Uriarte, María Teresa, y otros, *El juego de pelota en Mesoamérica. Raíces y supervivencia*, México, Siglo XXI, 1992.

Valdano, Jorge, «Las ocurrencias de Havechange», El País, Madrid, 28 de mayo de 1990.

Verdú, Vicente, *El fútbol. Mitos, ritos y símbolos*, Madrid, Alianza, 1980.

Vinnai, Gerhard, *El fútbol como ideología*, México, Siglo XXI, 1974.

Volpicelli, Luigi, *Industrialismo y deporte*, Buenos Aires, Paidós, 1967.

Wolstenholme, Kenneth, *Profesionales del fútbol*, Barcelona, Molino, 1969.

Zito Lema, Vicente, *Conversaciones con Enrique Pichon-Rivière*, Buenos Aires, Cinco, 1991.

# Índice de nombres

# Índice

**294**